ジプシーモス

福井みゆき

東京図書出版

目次

ジプシーモス

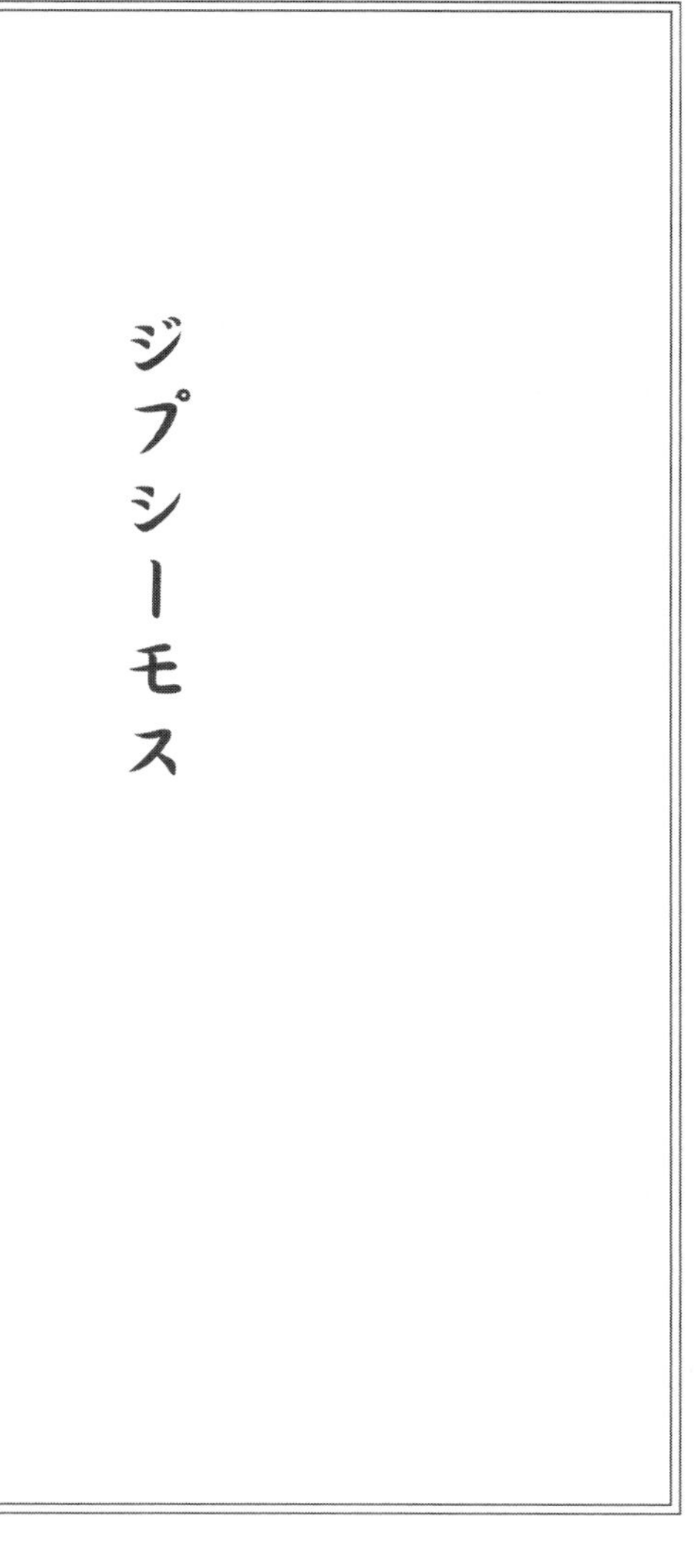

冬眠挨拶状

「メイから手紙よ。冬眠挨拶状の原画だわ」

食卓で配達されたばかりの手紙類の仕分けをしていた幸子の声は明るく弾んでいた。夏の間何の連絡もなかったメイからの手紙だ。大きめのその藤色の封筒は色気のない種々雑多なビジネスメールに挟まれ、見て、見て、とばかりにその存在を主張していた。

オリヅルランの影が幸子の手元にかすかに揺れる。開け放たれた窓からの風が涼しい。が、それぞれの影のまわりを七色に囲み、差し込む光にはまだ夏の強さが残っていた。

四十畳以上あるだろう。幸子の好みで作られた仕切りのない一間は居間でもあり応接間でもあった。一隅は台所になっていて、木製の長方形の食卓が置かれ、水回りは食器棚に囲まれている。居間の部分には壁に沿って黄緑色の長椅子がL字型に置かれていた。長椅子の色を焦げ茶色がよいという夫の喬と少しもめたが幸子の好きな黄緑色に落ち着いた。それは正解だったと今では喬も認めている。黄緑色の長椅子は薄い茶色の木の床ともオリヅルランやポトス、アジアンタムらの観葉植物の緑色ともよく合って、軽い瀟洒な感じの居間になっている。

長椅子で寛いでいた夫の喬がかなり時間をおいてから、

「早いね。まだ九月」

と、顔をあげた。喬はまだ夏のパジャマのままだ。

「本当。今年は特に雪が早いというニュースもないのにね」

幸子はメイからの手紙を持って長椅子に移った。

大手商社のニューヨーク現地事務所で働く喬の久しぶりの休みなので、ゆっくりとブランチを済ませたところだった。私立高校の寮生活を始めた一人息子の健は十一月のサンクスギビングデイの週末まで戻らない。階下で画廊兼喫茶店を経営している幸子も今日は店を人に任せていた。

休みを一緒に取れることはめったにない。久し振りにセントラルパークでも歩こう。木の実を求め忙しく動き回るリスを眺め、幾組も出ているだろう玄人はだしの路上パフォーマーのジャズやロック、ダンスを楽しみ、夕食は最近見つけたステーキの店と幸子は決めていた。お気に入りのブランド、クストのセールで見つけた麻のグレーの上着がこんな日にはちょうど良いと、昨夜の内に選んであった。

パークの中のブライダルパスと名付けられた小道にはウイークデイの昼間はランナーも

比較的少なく、のんびり歩くのに適している。頭上には木の枝が伸び、その向こうには高層ビルの美しい先端が見え隠れしている。山あり谷あり湖ありの広いパークを歩くのは、忙しくジムも休みがちな夫には良い運動にもなるだろう。幸子にそんなプランを促す、気持ちのよい朝だった。

「今年の絵なかなかいいわ」

山の稜線の手前に裸婦がゆったりと空に向かって寝そべっている。優しい線の生きた上品な仕上がりになっていた。

「いいね。色違いで配色の面白さをだせばいい」

「私はモノトーンが好き」

「好き嫌いでなく、ビジネスの話」

「あら、今年はパーティー、十月二十日がよいって。まともに私の誕生日に冬眠パーティーをするのは初めてだわ」

夫は幸子の弾んだ声に、揶揄する目をしながら半ば笑っている口元にコーヒーカップを遊ばせていた。結婚して十五年になるが幸子はそんな夫の顔つきが嫌いではない。

手紙と云うよりは連絡事項を並べたようなメモ書きだ。幸子の誕生パーティーとメイの冬眠挨拶パーティーを一緒にするのが最近の恒例になっていた。

メイは某高名な彫刻家の山荘の冬の管理を任されていた。それをメイは冬眠と称し、山荘で冬の間仕事三昧の日々を送るのだった。夏も引き続いて任される年もあった。何時でも使ってよいと云う事とメイは受け取っている。

メイは彫刻家のモデルをすることもあるし、山荘で彫刻家の版画を作る仕事はメイが一手に引き受けていた。メイはそこで自分の版画も作ってしまう。それらの収入でメイの一年分の生活が賄えるようだ。幸子の画廊でメイの作品が売れなくてもメイの生活に響く事はないらしい。初めは幸子が画廊でメイの収入を助けているつもりだったが、メイは幸子を助けているつもりかもしれない。助けたり助けられたりは当たり前のことで、二人はお金の事でもめた事はなかった。そんな関係は二人の学生時代から続いていた。

メイが山荘にこもる前に、街の仲間と酒を飲みかわす会と幸子の誕生パーティーを一緒にする習慣は幸子が画廊をオープンした頃から始まった。何時もは秋のシーズン中で、画廊の宣伝も兼ねていた。幸子が仕切る、年に一度の大パーティーで、幸子も喬の協力を得、ほかのパーティーよりはよほど気を遣っていた。

いつもはメイの都合で幸子の本当の誕生日に当たる事はなかったが今年はたまたまそんな日取りになったのだろう。

今年は冬眠から戻ったメイは、何処とも言わず慌ただしく旅立った。と、何日もしない内にメイの自分の誕生日に南フランスのニースから電話をかけてきた。そんな事は今まで

になかった事なので何事かと思ったら、

「四十になった」

と、酔った声で笑っていた。

冬眠から戻る度、若返るメイなので、年の事など気にしているようには見えなかったが、四十と三十九の境に何か感じることがあったのだろうか。幸子は自分の誕生日はもちろん家族の誕生日にも大げさに祝うのが好きだが、メイは学生時代から自分の誕生日を祝う気がなかった。幸子に促され、それではと盛大に祝ってみたり、幸子がケーキを買って待っていてもすっかり忘れて帰ってこなかったりした。

そんなメイの（四十になった）の電話だったので、幸子はあの日以来少し気になっていた。


幸子がメイに初めて会ったのは美術大学の入学が決まりアパート探しをしていた時だった。メイは学内の掲示板の前にいた。その頃はインターネットなどまだ普及していなくて、連絡事項はそんな風に掲示板などに頼っていた。

長い髪をアップにし、着物地で作られた如何にもオリジナルと云ったデザインのブラウスに幅の広いグレーのウールのショールをまとい、細いジーンズのズボンは素敵に色あせていた。春先なのに素足。そして浴衣を着たときに履くような草履をはいていた。鼻緒の色はブラウスの色合いとも足の爪の色ともよくあったオレンジ色。幸子は半ば呆然としてその後ろ姿を眺めていた。

と、いきなり煙草を持った手でほつれ毛をかき上げながら、メイは、

「このアパート近いし、安い。行ってみない？」

と、振り向いて幸子に話しかけた。

女優みたい。と幸子はとっさに思った事をずっと覚えていた。

その頃幸子の田舎では美しい人はまず（女優みたい）とか（俳優みたい）と、表現されていた。

幸子は振り向いたメイを見ながら顔が赤くなるのを感じた。化粧はしていなかったが田舎風にいえばまさに女優。で、周りから浮いていた。ずいぶんと年上の人にも思えた。色白の細面で憂いのある瞳は大きい。形の良い鼻、モジリアニの絵の中の女のように細い体なのだが華やかな雰囲気が後ろ姿にも感じられた。

田舎から出てきたばかりで、親戚の家に泊まっていた幸子にはそのメイの云うアパートが近いのか、安いのかの判断もつかない時だった。

幸子もジーンズに気に入っていたローズ色のセーターを着てお洒落にしていたつもりだったが、メイの姿に比べるとお洒落度に雲泥の差があるのが判り、気おくれしたが、催

眠術にかかったようにメイに従った。

メイは駅から大学までの道をずっと幸子の後ろを歩いていたのだという。きょろきょろと店を眺めながら歩いていた幸子は気がつかなかった。

「ローズ色、私も好きよ、きれいね」

と、メイは幸子のセーターの色をほめた。その言葉に幸子は自分の美的センスを認められたかに嬉しかった。

それ以来の付き合いだ。幸子は同じ年なのに姉が出来たような気がしていた。学生時代には隣りあって借りられた部屋は、どちらの部屋が自分の部屋か判らなくなる程、物が行ったり来たりしていた。それは食器だったり服だったり本だったり。本当は整理整頓好きな幸子なのだが、片付けなど第一に考えないメイのそんな生活態度をいつか許せるようになっていた。

そんなにいつも一緒に居た訳ではなかったし、二人が似ているのはその痩せた体型だけで性格は正反対だったが、他の生徒からは（一卵性双生児みたいね）などと云われていた。幸子のボーイフレンドだったのがいつの間にか二人のボーイフレンドになったりしたこともあった。二人は、（あら、そうだったの）で済んで、それでもよかったが、男の子のほうが逃げ出した。まるで性格の違う二人を相手にするのが面倒になったのだろう。男の子の好みもまるで違うので、そんなことは起こるはずがないのに、そんな事が起こったのもどちらがどちらの部屋にいるのか判らないほどのもろもろの共用のなせる仕業に違いないと二人で笑いあった。

メイは入学前から日本画家のモデルをしていて、その日本画家が大学で教えていたことからこの美術大学に入る気になったらしい。以前から日本画をその画家に習っていたという。大学生になってみたかったからとも云っていた。モデルの仕事は入学した後も続いていた。メイはアルバイトを幾つかしていて忙しがっていた。

もともと才能があったのだろう。在学中から幾つかの美術展で賞をとったりして、卒業する頃には学内の先生ばかりか評論家や美術雑誌の記者たちに注目されていた。

幸子はデザイン科だったし、メイは日本画だったので力の差がある事は判っても一向に気にならなかった。注目されているメイと友達なのが幸子には嬉しかった。節約してちまちまと遣り繰りしている幸子にメイは時々豪華な食事をおごってくれる事もあった。モデル代が入ったとか時には絵が売れたとか学生らしからぬ事を云っていた。が、憔悴して食事もせずに二日も寝ているようなこともあった。そんな時のメイは幸子が声をかけるのもうるさがり、ただひたすら眠っていた。

幸子が風邪をひいて寝ているなどと聞きつけると、すぐに田舎から母親が飛んできてあれこれと世話を焼きたがるが、メイには身寄りがいないらしい。長い休みの時は幸子の家に一緒に行く事があってもメイの故郷長崎に行った事がない。

二人の体型のせいか行動スタイルのせいか学内では（陽炎コンビ）などと呼ばれ、知名度が高く、学園祭の時などはファッションショウに出演の依頼が来たりした。

美術展で賞を貰ったり、雑誌にその作品が採り上げられたり、なんだかもうすっかり大人の世界を生きている雰囲気のメイは皆の憧れでもあり、必然、様々な噂の主でもあった。が、誰もがメイの輝かしい未来を疑う事はなかった。

本当はそうでもないのだが、いかにも真面目そうな、メイの影のような存在の幸子とメイは（対）で、学内では（あの二人）、まあいいかという感じにとらえられていた。

「大学なんて退屈しのぎ。いつ辞めてもいいの。けどね。幸子が居るから、一緒に卒業するわ」

なんて、その体つきに似合わないアルトな声で言われると幸子はドキドキしてしまうのだった。

「見ていると安心。幸子は本当に健全」

と、そんな事を云う時のメイは幸子をグイッと男のような力で引き寄せ、幸子の健全さを確かめるように顔を覗き込む。幸子は（あれ、これって映画みたい）なんて思いながら、されるまま、ほんの一瞬の不思議な時間を味わう。それは好きな男の子と顔を寄せ合うのとはまるで違う夢の中のような瞬間。

一緒に卒業するなどと云っていたのにメイは卒業式の時には行方不明だった。旅行だろうとは思っていたが、後から聞くと某評論家とヨーロッパ旅行をしていたのだという。

卒業して幸子は就職した出版社の近くに部屋を見つけたし、メイは旅行に一緒に行った評論家としばらく一緒に住んでいた。

メイは定職にはつかず、気の向くまま様々なアルバイトをしながら絵を描いていた。スカーフのデザインをしていると思っていたら住んでいるアパートの管理人の手伝いをしていたり、スナックで働いていたり、時間を気ままに使っていた。幸子の出版社の雑誌の挿絵を描く事もあった。が、メイのアルバイトは長くはつづかない。飽きてしまうという。

いくらでももっと楽な生活が出来るチャンスはあるのにあえてそういう道を選ばない。でもメイはいつも素敵に生きていると幸子は思っている。幸子の会社に出来上がった挿絵を持って来る時など、男性社員はもとより女性社員までメイを取り巻く。メイが現れると場がなんだか華やいだ。


幸子が結婚し、商社員の夫とニューヨークに移り住むとメイも一年もたたない内にやってきた。

「日本には飽き飽きした。美術界はニューヨークが今、世界で一番燃えている。ニューヨークで一番と云う事は世界で一番と云う事だからね」

なんて、メイの口からそんな言葉を聞いた事がなかったので、幸子は少し驚いた。その言い草は幸子の後を追うようにニューヨークにやってきたメイの、ちょっとした照れ隠しだったのかもしれない。でも、メイの言うようにその頃のニューヨークアート界は確かに世界の注目を浴びていた。

メイが幸子たちのミッドタウンのアパートに居たのはわずか二週間で、英語力もそんなにはないと思うのに一人でアパートを探し、アルバイトまで見つけてきた。夫に頼りきりの幸子と違って、モデルをしていた日本画家や同棲していた評論家仲間の良い伝手があちこちにあるようだ。

メイは幸子が結婚した事にも子供を産んだ事にも特別な感想はなかったが、ニューヨークのソウホウ地区にロフトビルを買った時には、

「やったね」

と、自分の事のように喜んでいた。

その頃ソウホウ地区には世界中からアーティストが集まり始めていた。ニューヨークの美術界が世界のアートを引っ張っていた時期だったので、ソウホウ地区はいわば世界のアートの中心地区といった印象があった。描き続けているメイもソウホウに住みたいと思った事があったのだろう。だからと云って自分のハーレムに近い小さなアパートを嘆いている風でもなく、幸子のロフトの一隅を自分の物のように澄まして使っている。

ソウホウの中心地ウエストブロードウエイに面した四階建てのロフトで、自分たちは二階に住み三階四階は貸していた。一階と地下はブティックに貸していたが子育てが一段落した五年前から幸子が画廊兼喫茶店の経営をしていた。画廊と云っても本格的なものではなくポスターや版画を主に扱う、半ば土産物屋的なものなのだがソウホウが次第に観光地化した為そんな店でも受けていた。店の奥の小さな喫茶店だけでも人を一人雇っても十分に採算が取れた。店先の草花や和風の佇まいが人気で、客足が絶えない。

ひとえに、安い時にソウホウの目抜き通りにロフトを買った自分の決断が正しかったと夫の喬が冗談半分にだが、折に触れて自慢する。喬がまだ大手商社に勤めていた時だったのでお金も簡単に借りられた。その後、喬はいったん会社を辞め現地採用で再雇用されていた。転勤せず、ずうっとニューヨークに住めるようにそんな身分に変えたのだった。給料は多少低くなったけれども、あっけらかんとした実力主義のやり方、ニューヨーク流が肌に合っているようだ。二人ともメイ同様、しのぎを削りあって活気ある人々の生み出す熱気でむんむんするニューヨークの虜になっていた。

喬はいつか近い将来自分のビジネスを始めたいという夢もあり、情報収集、人脈作りが着々と進行しているようだった。

メイが山荘で仕事三昧の頃、街はアートシーズン。メイもどうしても見たい個展があったりするとアシスタントに山荘を任せ、街に来ることもあった。車を運転しないメイが街まで出てくるのは電車を乗り継いだりタクシーに乗ったり結構大変なのでめったに来ない。

フロリダとか南仏に行っていると思っていた彫刻家が突然山荘を訪ねることもあるらしい。もちろん運転手つきのかっこいい車に乗って。若いころはスキーシーズンには山荘に居ることもあったと云うが、今ではスキーをしたい時には、もっといいゲレンデのある立派なホテルに泊まるらしい。世界中の美術館で個展をする力がある彫刻家なのだ。

彫刻家はメイの版画の技術を高く評価していた。オリエンタル贔屓だとも聞いた。

彫刻家はメイに作らせている版画の出来を見に来るのだが、メイを抱き締めるのが主な目的なのではないだろうか。メイの話を聞いている限りそんな様子だった。もう八十歳を超えているはずなのだが元気なことである。彫刻家には素敵な家族がある。が、つまみ食いはまた格別な味がするのだろう。誰もそんな事をとやかく詮索しない。軽く酒の席で「あれ、彼女、あんな人がタイプだったの」

と、そのテイストを話題にするくらいだ。

アーティストあるいはアート関係者、自称アーティストなどが多く住むソウホウ地区の小学校の、親の九十パーセントが離婚経験者だという。そのような人たちは、会話で意気投合しただけでは十分でなく、そこまで進まないとお互いをよく知りあえたと思えないらしい。そこまで深く知りあいたいという欲望が強いということか。

色々な関係を色々な人と作りその複雑に織りなす物語を楽しんでいる。そこから生まれる情熱や悩みをアートに昇華させようと云うのだろうか。ここの住人たちの間では関係などたいした問題ではなく、その人が何を作りだしたのか、何を作っているのかが一番の話題。冬眠挨拶パーティーはそんな複雑な関係を楽しんでいる人たちの意味ありげな抱擁や目配せが縦横無尽に飛び交って居て、幸子はいつもめまいがしそうに疲れる。

メイの冬眠中の恋は長くは続かない。アシスタント兼恋人には冬眠挨拶パーティーで出会う事もあった。冬眠が終わって夏の間も一緒に居ることもたまにはあったがほとんどの場合一冬の恋。

アシスタントに山荘から逃げだされたと緊急電話がかかってきたこともあった。冬の山を一人では乗り切れないのでそんな時メイはあらゆる知り合いに電話をかけ、臨時のアシスタントを探した。

冬眠挨拶パーティーでアシスタントを募集するのは何時もの事だが、雪に閉じ込められた山荘に一緒に住み、メイの気に入った人を選ぶのだから、そんな色濃い関係に自然となるようだった。

冬の山荘に来るのか来ないのか判らない山荘の持ち主の彫刻家と知り合いになりたくてメイのアシスタントになった男の子もいた。採用される人は版画家ばかりではない。時にダンサーであったり映画作りを目指している人だったり女だったり男だったり。メイが好きで日本から追いかけてきたかなり年上の画家はアシスタントとは別に山荘にもついて行ったのだが、春になると、

「きつい、きつい」

と、早々に日本に帰って行った。メイの人生のアシスタントになる覚悟は無かったようだ。

メイは冬眠が終わり、春になる度、若返り、エネルギーに満ちるのだが、連れのアシスタントはメイに生気を吸い取られるのだろうか、萎れて帰ってくる。

メイは思いのまま生きている。やりたい事だけやっている。それなのに時々つまらなそうな顔をして、

「命って広い空間に浮かんでいる塵のような物ね」

とか、

「手を伸ばして空の彼方に行こうったって飛べない。そうだ。凪の静かな日に水に映る空に飛べばいい」

なんて、笑いながらでも呟かれると、幸子はそんな事がありそうな気がして心が騒ぎ、そして腹が立つ。自分で選んでそんな風に生きているくせに勝手なこと。でも次の瞬間、この人はこんな風にしか生きられない。メイが結婚し、夫の為に料理をしたり子育てをし

たりしている姿は思い描けない。だから、いい仕事をして、ニューヨークでも日本に居た時のように本格的な画廊で個展をし、美術雑誌に採り上げてもらいたいと思う。そして世の中としっかり繋がっていてほしいと幸子は願っている。

「ニューヨークで一番なら世界で一番よ」

と云って居た頃の元気が最近のメイには感じられない。

ニューヨークは、幾つものきらきらした才能を、平然と飲み込んでしまう大きな渦があちこちにある。油断ならない海峡。その渦に飲み込まれ、浮かびあがってこられない人がほとんどだ。が、その渦の傍に身を置きたいと思う多彩な可能性やら自由がある。だからこそ皆引き寄せられてくる。でも見ているだけでは何も始まらない。そこを泳ぎ切らないと何も手に入らない。世界で一番は甘くない。四十歳はほんのスタート。がんばれメイと幸子は心の中で何時も祈っている。ここに見ている人が居るからね、と。

夫も息子もメイには甘かった。いつの間にかロフトの地下の片隅はメイの仕事場になっていた。地下と云ってもバックヤードの木もある空間からの日の光も入り、結構ぜいたくなスペースである。それも何の正式な要請があったわけでなく（チョット物置かせてね）（今日はここで仕事するわ）（客が来るから長椅子入れるね）とだんだんとメイのスペースを広げて行った。そのうち、（やっぱりもう少し部屋らしくしようよ）と、一家総出でメイを手伝い、壁を作り、ペンキを塗り、倉庫スペースの一部が立派な仕事部屋になった。

幸子はそんなメイの事が夫や息子の動静よりも気になっていた。そんな幸子を喬は（恋人みたいだね）とからかうが、喬も自分関係のパーティーに、（メイも誘おうよ）と連れて行きたがる。メイは精いっぱいお洒落をして付き合ってくれる。何処で出会うのだろう、と幸子はいつも不思議に思うのだが、そんな時のメイの連れは、メイよりももっとお洒落な、宝石を体中に付けた妖精のような青年が多かった。

雪の山荘

メイが管理を任されている山荘は寝室が三部屋あるシンプルな木造の建物だが建築材料にお金をかけてあり頑丈に造られていた。一階部分に仕事をするスタジオ、大きな収納スペース、台所兼居間。そしてそこにはメイお気に入りの薪ストーブがある。太い煙突を通る熱が二階をも暖める。暖房はしかしそれだけで足りず性能の良いオイルの暖房が山荘中を暖めていた。二階に寝室が三部屋、大きめの浴室が二つある。一つはゲスト用だ。昼間、森の木々や空の見える大きめの浴槽にハーブの香りを充満させながらのんびりと湯につかるのはメイのお気に入りの時間だ。ニューヨークのメイの部屋でもソウホウの幸子のロフトでもできない贅沢な時間。

薪ストーブの大きな鉄鍋からいつも湯気が上り、香辛料の匂いがあたりに漂っている。一枚板の大きなテーブルにはチーズとフルーツ、パンそしてふだん飲み用にはギャロン瓶のワインが置かれている。リンゴやバナナ、オレンジは常連。様々なベリー類、柿にブドウ、スイカにメロン、広いアメリカは一年中フルーツが豊富だ。メキシコやチリなどからも送られてくる。

メイはこのフルーツやパンのある大きなテーブルの佇まいが好きで何枚も絵にしていた。そこにアシスタントらしき人物や自分の体の一部を配することもある。が、メインはテーブルの上のパンやフルーツそして後ろには暖房も兼ねている大きなストーブの火。ストーブにかかった鍋からの匂いまでしてきそうだ。温かい気配の漂う絵が多い。

メイの絵の中ではこの台所のテーブルのある絵は他の作品に比べ、柔らかく、暖かく、見る者を和ませる。他の作品群とは世界が違う。この台所の小品は山荘日記とでも言うように何点もある。売る気はないらしい。これらの絵から、街を離れ人里離れた雪に閉じ込められた山中で、メイはやっと体を休め心を遊ばせ、現実を優しく見つめているというように幸子には感じられた。

山荘での食事は特別な事がない限りそれぞれ好きな時に好きなだけ食べる。ストーブに置かれた鍋の中身はメイが用意する。が、時にはアシスタントが（食べたい物を作らせて）と担当する事もある。これらの食材が切れないように買い足すのはアシスタントの楽しい仕事の一つだ。一日かけて街に出かける。アシスタントの休日のような日。メイも時には一緒に出かけた。

曲がりくねった山道を車でゆっくりと三十分程かけて山を下りると、幅の広い川に出る。やがてはデラウエア川に合流する川だが、川幅があるためにその動きが判らないほどゆっくりと流れている。川には緑色に塗られた長い鉄の橋が架かっている。その鉄橋の毒々しいまでの緑は雪の山里に目立っていた。川沿いにしばらく走ると街がある。大きなスーパーマーケットやスキー客の為のレストランやパン屋、洋品店など一通りの店があって困らない。小さな画材屋もある。小さいけれど何でもすぐに取り寄せてくれる。骨董屋は三軒もあるし本屋も映画館もある。スポーツ用具の店もある。週末にはスキー客など結構な人出があった。

メイはこの雪に囲まれた山荘にほぼ半年の間こもり、彫刻家の版画も作り自分の版画も作る。一年間の生活費を稼ぐ仕事をここでする。版画は木版の時も銅板の時もシルクスクリーンの時もある。そのための道具はそろっていたし、必要な物は何でも彫刻家のお金で揃えることが出来た。何時学んだのだろう。メイは何でもこなせた。

山に入る頃はまだ、枯れ草や木々の茶色や緑が眺められるが幾日もしない内に雪がちらちら舞い始め、やがて来る日も来る日も雪が降り、あたり一面真っ白になる。遠くの山々の薄い水色も少しずつ白くなり、やがては色のあるものは空の色、飛ぶ鳥の黒、時々遠く高く過ぎる銀色に光る飛行機。

　南に広がる斜面のあちこちにある木々を強い風が揺らし、枝の雪を落とし、雪は落ちながら淡い影をつくる。メイは仕事の休みによく小さな窓からじっと目を凝らし、そんな影絵のような世界を眺めていることがあった。

　真っ白な動く物のない世界ではささやかなことの中にも何かを感じさせるものがあるとメイは思う。

　たまに雪の降らない日には雪山を赤く彩る夕日が見られた。光と空と風と雪そして時間が壮大な歌を歌う。何時間見ていても飽きない。そんな日はメイやアシスタントにとってそれが大ごちそう。台所の窓から夢見心地に自然の歌を聴く。

　そんな夜はメイはアシスタントを誘い、光の粒子になったように自在に飛び、歌い、奏であう。暖炉の中で揺れるひなびた赤の炎。それはいつか庭先に咲いた木瓜の素朴な赤い色だ、とメイは感じた。遠い昔そんな風景を見た気がした。夢かもしれない。ゆらゆらと夜の時間はゆっくりと過ぎる。

　メイのアシスタントは版画の仕事を手伝える繊細さはもちろん、山荘の入り口から道路までの雪かき、彫刻家の所有する四輪駆動の大きなチェロキー車の運転、買い物、用心棒の役割も果たさなければならないから頑丈な体でないと務まらない。それに何よりもメイ好みのタイプでなくてはならなかった。一冬を上手に過ごせた青年が二度三度アシスタントを務めたこともある。

嵐の海の波に身を任せているような激しく心地良い快楽の後の眠りから、ぼんやりと白い雪明かりの部屋にメイはふと目が覚める。

低く、ため息のような歌声。

深夜のラジオからブルースが流れていた。

風が窓を揺らす。

雪が屋根をきしませる。斜度の高い屋根は雪を長くとどめない。大木が風に枝を揺らし壁にすれる低い音。

真夜中の山奥の自然のハーモニー。

薄目を開けると薄明かりの中に、コップに注いだ時のサイダー水の気泡のような球体が色付きで無数に集まり、煙のように形を変え部屋のあちこちに踊っている。

(夢の卵かしら)

(今眠ればこれが色々な夢になる)

目を凝らしていると、次第に色がなくなり灰色の煙のようになって消えた。

(脳が故障しかけているみたい)

メイはそんな不思議が時々見えた。街の中であったり、美術館の中であったり。見えることを期待してもいる。

（そんな変な私。それが私だ）

メイはこの自分の身の不思議を誰にも教えない。それは時に花びらであったり雲の流れであったり。綺麗な物だけ見たいと願った、ずっと小さい頃から続いている。医者には行かない。

一時の美しい映像は、元気に動き回って跡形もなく消えてゆく。

（夢幻のごとく、あって、消えてゆく。でも私には確かに見える）

メイは確かに見えていた物を確かめるように目をつむる。でももう何も見えない。


窓辺に立ってメイは夜明けの薄明かりの森を眺めた。モノトーンの世界。時折雪の塊が屋根から、木から滑り落ちるずっしりと、孤独な音。もう眠れそうにない。メイは寝室の椅子に深く座り膝を抱えた。

春の森を想う。

苔むした木の根が縦横に入り組んで伸び、見上げても梢の先は見えない。つと、スポットライトで照らされたように光が下りて木々の根元の草葉を輝かせた。

ぼんやりと佇んでいると生き物のように自在に形を変えて霧が駆け抜ける。木々の緑が紗をかけたように一瞬で薄水色にかすむ。

木々や水や光が織りなす色を想像し、眺めていると時を忘れる。ひと時も留まらないで消えてゆく美しさを留めたくとも再現できるとは思えない。

自然の前にひれ伏している小さな存在。

深い森に居ると自分に優しくなれる。やがては朽ちて大地の一員になるのだから。ここにこうして居るだけの自分でも許されている。そんな気がする。ありのままの自分を抱きしめられる。朽ちた草木の匂いも心地良い。メイは雪の積もる真夜中に顎を膝にのせ、心地良い森を自在にさまよう。

ふと夏のあの日の事を想う。

あの日メイは家族を失い、帰る家を失った。

何時もメイを可愛がってくれていた隣家の老婆について、山を越え峠を越え、歩いたり荷車に乗せてもらったり、荷車を押したりしながら、老婆の海辺の知り合いの家に向かっていた。

荷車には畑で採れた野菜が積まれていた。荷車を曳いて山を越すのだからメイは老婆と思っていたが、隣家の女はそんなに年をとっていなかったのかもしれない。途中でおにぎりを食べた。白いおにぎりで梅干しも入っていた。そんな遠出はめったにない事だったのでメイは拾った木の棒を振り回し、夏の山道を楽しんでいた。見上げれば木々が天蓋を作り、セミが鳴き、鳥がさえずり、道を少し外れれば森の奥は暗く蠢く物がいっぱいいる気配があった。

またお腹がすいた頃、やっと海辺の知り合いの家に着いた。その家には同じような年の女の子も男の子もいて、お腹がすいていることも忘れ海に走った。

五歳になっていたメイは海で泳いだり、魚を追いまわしたり、海藻拾いを手伝ったり海辺の夏を楽しんでいた。

いつまでもそこにいたかった。楽しかった。

そして、何日たっても誰も迎えには来なかった。

冬になる前にまた老婆と戻ったのだが、それから老婆の親せきの家に行ったり、メイの遠い親戚だと云う家に行ったり、孤児院のような所に行ったり、中学を出るまでは落ち着かない日々の連続だった。絵が上手だと云われ、一人の時は何時も絵を描いていた。薦められて、その頃イラストレイターで名前が出ていた家の養女になって東京に出たのだった。それからのメイは華やかだった。華やかすぎて可愛がられすぎてやがて養家からもはみ出してしまった。

そして、いつの間にか一人で生きることに慣れていた。

メイは今を生きてきた。でも、今が、この頃頼りない。膝を抱え、時をただやり過ごし、山の夜を漂っている。


幽かな振動を感じた。幽かな地鳴り。

轟音とともに春がやってくる。

空気が揺れる。何か、緊迫した気配。気配は次第に音になり、大きく炸裂。山が崩れ落ちるような轟音が響く。山を揺らす。山の斜面全体が川になったような轟きで雪解けの水が流れ始める。山を揺らし岩を飲み込んで谷筋の幅を広げ底を穿ち流れ落ちる。

山は激しく春になる。

その山奥の初めの川面はどんな様相なのだろう。

鬼のように怒った顔つきなのだろうか。腕白坊主みたいなはしゃいだ顔つきなのか。大海原まで旅する期待に満ちた、でも少し不安な頼りなげな顔なのか。あの轟音から思えば悠長な顔ではないだろう。メイはいつかそんな雪解け水と一緒に旅してみたいと思う。

この山荘付近の雪解け水は幾つかの支流を経てデラウエア川に合流し大西洋に出る。そして太平洋ともインド洋とも北極海とも地中海とも交じり合うのだ。

半年の間、美しい白が息苦しくなり、自分の内側ばかり見るようになり、幻影まで見て、そしてこの轟音。

山が明ける。あたりが一斉に色を取り戻す。どんな色も美しく新鮮。山のあちこちで木々が倒れ水をせき止め、小さな池を作る。

流れはしかし、やがて元の静かな谷川に戻る。ビーバーがさらに池を広げ巣づくりに勤しむ。

ジプシーモス

ザー、と云う切れ目のない音がする。

幸子は目覚めてまだ夢の中に居る心地。カーテンの開け放たれた窓から日が差し込んで白い壁に木々の影をくっきりと映し出していた。

ザー、と、外の音は一層激しく聞こえていた。

(雨なのに、日がさしている)

幸子は夢うつつに窓の外に目をやると、朝の日がもうかなり高い。

(あれは沢の音なのかしら)

幸子は萌黄色に芽吹いている木々を見て何か違和感を覚えた。

「おはよう」

銘仙だろうか。鮮やかな花模様の着物を緩やかにバスローブ風にはおり、マグカップを持ってメイが部屋に入ってきた。

「おはよう」

幸子は山荘に来ていた事を思い出した。

「お疲れなの。幸子がお寝坊なんて珍しいね」

メイはぐずぐずといつまでも起きない子供を起こす母親がするようにシーツをパッとめくり、幸子の脇腹をつついた。

「いいライン。ランニング効果ありね」

「ランニング楽しいよ。トレイナーがかっこいい三十代」

「三十代か」

幸子はメイの差し出すマグカップからコーヒーを飲んだ。昨日、日が暮れてやっと山荘にたどり着いたのを思い出した。

アシスタントの青年が焼いたと云う、十センチもあるかと思われる厚いフィレミニオンとメイの得意な野菜スープ、たっぷりのサラダに黒パン。それにメルローを三本も空けたディナーの歓待に幸子は寝過ごしてしまった。

メイの冬眠が終わる前、幸子はいつも山荘に一週間ほど招かれた。冬の間のメイの作品を眺め、幸子の画廊で扱う作品の選定をするという名目なのだが、半分以上は遊びである。アシスタントの青年や時には他の人たちを交え楽しくハメを外した。冬眠が終わる度若返るメイだったが幸子もこの一週間で少しは若返る。家族から離れ仕事を離れ、学生時代のように気ままに過ごせる貴重な一週間だった。

今年は彫刻家に頼まれてメイは五月になってもまだ山荘に居た。

「あの音なに？　沢の音でもなさそう」

幸子は耳に付いて離れない音が気になっていた。

「あれね。去年はなかったでしょう。今年初めて登場。来年はないかもしれない。聞きたい？　怖いのよ。夢に出てくるかも知れないわ」

「じらさないで教えてよ」

「この山の上に住んでいるトシ、会った事あるよね。ネイティブアメリカンの青年。彼に教えてもらった」

メイの（彼）の発音の微妙な響きに幸子はトシがメイのボーイフレンドの一人だと分かった。幸子も山荘で何回か会った事がある。トシは沢へ下りる山道の補修とか、密集した木を切り、薪にするとかアシスタントやメイの手に余る仕事を手伝っていた。

ネイティブアメリカンの事を書いた歴史書に出てくるような、ネイティブアメリカンである事にプライドを持つしっかりした顔つきをしている。学歴はないけれど教養豊か。年老いた母親を養っていた。他の家族は仕事を求め、皆町に出たと聞いた。

メイの所に仕事以外にもよくやって来るようだ。木彫りの工芸品を作り、街の土産物として売っていた。食器、アクセサリー、人形と何でも作る。アーティストと云うより職人なのだが自宅の工房には木彫りの迫力のある熊の像もあった。人との交流を避けているような所があるが、メイには気を許しているらしい。どこか似ている所があるのだろうと幸子には思えた。

「後でトシの所に行ってみよう。実態がよく分かる」

「だからなんなの？　あの規則正しい訳のわからない音。じらさないで」

「私も初めはびっくり。ここ数日がピークかもしれない。あの音がね、日ごとに大きくなっていった。気になりだしたら耳から離れない。ジプシーモスの生の営み」

「ジプシーモスってなに？」

メイはコーヒーをサイドテーブルに置くとジプシーモスになり代わったように細い手足を使い、木になったり枝になったり葉っぱになったりして語る。

「もうすぐこの辺りの木々が丸坊主になる。ジプシーモスが葉を食いつくす。でも木々も負けていない。食いつくされて、二度目の新芽を付けている。今頃萌黄色の葉なんて不思議でしょう。生きとし生けるもの皆必死。山の生の営み」

「ジプシーモス。か、すごいね。そのうち蝶に変化するのでしょう」

「蛾になるのよ」

メイはデッキに立って無数のジプシーモスの幼虫が葉をついばむ音などモノともしない自然体で大木に向かい両手を広げ、空を仰いだ。着物の袖がゆれ、蛾に変身したジプシーモスのよう。いや、メイは蛾になんか変身しない。変身するなら蝶になる。木々の葉を食いつくし蛹になってたっぷりと睡眠した後の蝶が飛び立つように、着物の袖をひらひらさせた。着物から蝶の身体のようにメイの細い体が黒く透けて見えた。

「トシが幼虫が登れないようにつるつるした金属を木の幹に巻きつけたり、いろいろ対策を考えてくれている。トシの所まで散歩しよう。いい季節になったわ」

メイは他人には都会派のように思われるが自然が好きで学生時代もよく山歩きをした。一度などあまりに気ままに花を愛で、景色に感嘆しのんびりと茶店でお団子など食べていて時間を忘れ、遭難しかかった事があった。軽井沢の近くの山で、あまり人気のないコースだったらしく他に登っているグループに出会わないような山道での事だ。

ふと気がつくと、まだ半分以上の行程が残っていると云うのに二時を過ぎていた。あわてて昼食を切り上げ先を急いだが、秋の山は暮れるのも早く、真っ暗になってしまった。幸い懐中電灯は一つあったが、雨まで降ってきた。熊も出そうな山だ。途中でイノシシの足跡もみたし、鹿にも会った。大きな声で歌を歌い腕を組んで歩いた。細い山道である。メイはそんな状況を楽しんでいるようだった。

「こんな事計画して出来る事じゃない。いい体験だわ」

と、平気だ。

分かれ道に来るたびどちらに行くのか判断に手間取った。踏み跡を見つけ、か細い懐中電灯の光で照らしながら伸びあがり、辺りの様子を探り方向を決めた。そういう仕事は幸子が任された。口には出さないけれど幸子の心臓はバクバクしていた。が、メイは一向にその気配はない。幸子が必死で方向を探っているときに、

「こんな真っ暗じゃ、花つみも楽ね」

なんて暢気な事を言って、脇道にもそれずに、元気な音をたて放尿をした。

「このあたり熊が出るらしいわよ。ニュースをテレビで見たわよ」

と、幸子は意地悪を言った。

「いいわよ。熊に食われたって。受け入れるわ。私が先に食われてあげるから」

「そうして、私その間に逃げるわ。恨まないでね」

「その調子、その調子。あわてると道間違えるわよ」

と、メイは予定が大幅に遅れていることなど気にしていない。

宿には八時過ぎてやっと着いた。玄関先に宿泊人が十人ほど集まっていて拍手で迎えられた。遭難届を出そうかと思っていた、と叱られた。

翌日も山に登る予定だったが、幸子はすっかり疲れ、翌日帰る提案をしたがメイは一人

でも行くと云っていた。が、渋々と帰る事を承諾した。翌日は雨上がりの良い天気だったが、幸子は遭難しかけるなんて事は初めてだったので、気持ちがすっかり萎えてしまっていた。

メイは闇も熊も波も高さも怖くないという。その調子で厳しいニューヨークも楽しんでいるようだった。

「いい気分よ」

メイは両手を広げ天の気を受けるのだという。着物がはだけるのなんて一向に気にしていない。ザーッと云うジプシーモスの大群の葉を食う音の傍らで気を受けるなんて幸子には気味が悪い。体がむずむずしてきそうだ。

山の木々はよく見れば、常緑の葉を茂らせている木あり、丸裸の木あり、春のように萌黄色の葉を付けている木ありで不自然だ。斜面のあちこちにまだ雪も残っていた。遠くから雪解けの水を海に運ぶ川音が地鳴りのようにゴーッと低く聞こえていた。

ある夏、幸子の友人の山の別荘に招かれた時のことだ。散歩しながらクレソンを摘みに行った時、山の奥に入って行くと、思いがけない所に小さな湖があった。メイはすぐにでも飛び込みそうになる。

「この土地の持ち主のプライベートな湖だから入ってはだめ」

と、友人が云うのも待たず、メイは歓声を上げ裸になって飛び込んでしまった。

「何が居るか判らないのに勇気があるな」

と、友人は怒るより呆れていた。幸子も藻がいっぱい生えているようで入る気がしない。

「はやくおいでー。気持ちいいよ」

と、メイは手招く。岸に居る二人は裸になって泳ぐ気がせず、ブツブツと呟くばかり。

「はやく、はやく」

メイはずんずんと真ん中に泳ぎながら手招いた。

きらきら光る水の中でメイの体が上を向いたり横を向いたり平泳ぎになったり立ち泳ぎをしたり自在に動き、何か別の生き物を見ているようだった。


ジプシーモスは絹糸を生みだす蚕と間違えられてこの国に入ってきたと伝えられている。春になると幹を這いあがり新芽を食べる。おびただしい幼虫が一斉に葉を食べる音が間断のない雨音のように聞こえていた。食いつくされ山が丸坊主になることもあるらしい。

対策は木に金属を巻きつけるくらいしかないようだ。薬を撒くとジプシーモスの天敵まで殺してしまうので撒けないという。

幼虫はやがて蛹になり、ジプシーモスと呼ばれるまいまい蛾になり、卵を産んで死んで行く。まいまい蛾が正式な名前なのだがジプシーモスが通称だ。メスのフェロモンに誘われてオスが上に下にジプシーの踊りのように舞う事からそう呼ばれているという。食を求めて山から山へ移動することから町から町へ、移動する生活スタイルのジプシーを真似てそう呼ばれているという面もあるかもしれない。（みんなトシの受け売りよ）と、メイが云っていた。

そんな旺盛な生の営みに囲まれてメイはその一員になったかのように思い切り体を伸ばし広げ、気を受けている。大気に溶け込んでしまいそうにひらひらとしていた。

メイは今漂っている。幸子はベッドに背をもたれさせ、メイの漂っている所に思いを馳せた。

メイはいつか、この木の葉に埋もれ、口を動かし続けている悦楽の時の幼虫たちを描くのだろうか。それともジプシーダンスを踊った後、力尽きた感じにガラス窓に貼りついて室内のメイをじっと眺めている無数のジプシーモスを描くのだろうか。幸子もまたデッキで手を広げているメイの後ろ姿を眺めながら時を漂った。入り口でアシスタントの男の子が肩をすくめ（お好きなように）と云うしぐさをして去って行くのが視界の片隅に見えた。

朝食を済ませたのだろう。

メイの作品は二十代の頃から抽象であれ具象であれ、よく見ればそれは全部自然を表現している。全体に緑に塗られていてもそこには木々の葉が激しく風に揺れていたり静かにそよいでいたり光にきらきら輝いていたり緑がそれぞれに歌っている。また、暗い茶色一色に見えても様々なテクスチャーで木肌が焦げ茶色になり、苔むして緑に濡れていたりする。細い枝ばかりが無数に水に浮いていたり、水面に揺れる雲であったり、せせらぎにたわむれる小さな魚たちであったり、小石が運動会をしていたり人体であっても半分空気に溶けかけていたり、全部自然。最近の作品は影を引きずる群像。暗い絵だ。雪山に光が踊る作品は明るい色使いだがどこか重い。

メイには自然が家族だ。大きな自然に小さな自分をしっかりと結びつけている。そうすることで生きている。でも、その中に何時埋もれても幸せと云うように自然を描いている。生死を自然に任せて時を漂っている。

幸子はメイのそんな自然を摸した抽象の作品も大好きだが山荘の台所のテーブルを描いた日記風の小品を眺めると安らぐ。そのどの作品にも台所の木製のテーブル、テーブルの上の食器やフルーツ、ストーブで燃える赤い火。この日記風に何点もある小品はメイが少なくとも描いている間は台所の火の傍らで暖かく心を休ませているのが感じられ、そこには今をのんびりと楽しんでいるメイがいる気がする。大きい作品の方は自然を描いていても何か緊迫して寛がない。

日本での個展は何時も評が新聞に載ったり美術雑誌に取り上げられたりしていたがニューヨークでの個展は日本の雑誌に好い評が載るくらいでニューヨーク美術界では今のところ無視されている。メイはなんでも器用にこなすが、ニューヨーク画壇にパンチを利かす迫力にまだ何かが欠けているのかもしれない。それは何なのだろう。好みの問題だけなのだろうか。時代の流れに適さないだけなのだろうか。

でもメイは好きな時に好きな作品を作り、恋人がいっぱい居て旅行して、好きな物を食べている。自由気ままに毎日を楽しそうに生きている。

ニューヨークには世界中から一流のアーティストたちがやって来る。四十にもなれば誰だって自分が見えてくる。が、撤退表明するにはまだ早い。むしろこれからが勝負時。若い才能だけをきらきらさせていたのではまだまだと云う感じにとらえられかねない。本物を作るにはじっくりと自分を熟成させたこれからだ。四十はまだ熟成不足。自分の未熟さが見えてくるこれからが本物の仕事が出来る。でも、そんな風に夢にしがみついて、名もなく逝ってしまう人たちがほとんどだ。どこかの時点で自分に見切りを付け普通の生活人になれる人はいい。夢を達成し社会的にも成功する人はほんの一握りだ。本物の作品を残しても貧しく死んでいった人も沢山いるだろう。そんな作品もいつかきっと世に出てほしいと幸子は思う。

若くして良い作品を残し、死んでいった人たちの作品を見せている信州の「無言館」に幸子は日本に帰るたび足を運び、感動して帰ってくるが、良い作品はあんな風に世に残り人々を感動させ続けるだろう。

幸子はベッドで寛ぎながらベランダから飛び立ってゆきそうなメイの後ろ姿を眺めメイの未来に思いを巡らせていた。

消えたメイ

メイがパーティーに遅れてくるのは常習だったから幸子を含めて誰もがメイの姿が見えないのを初めは気にしていなかった。

（きっとどこかで酔いつぶれている）とか、（一時も離れたくないようないい男が出来たのかも）とか、ささやかれたが、誰もがメイの現れないのをとがめていなかった。メイがそんな風に気ままな生き方をしているのを知っているし、それが許されていた。アーティストだからだろうか。メイの人柄からだろうか。アシスタントに雇ってもらおうとやってきた男の子たちが落ち着かない様子をしているだけだった。

が、とうとう御開きの時間になってもメイは姿を現さなかった。客たちはメイのいない

まま、それぞれの社交に花を咲かせ、十分な酒と和食を楽しんで、

「メイによろしく」

などと、何でもないような態度で、軽くウインクなどしながら帰って行った。そんな態度は幸子に対する気配りであるのを幸子は知っている。幸子がパーティーの途中からあちこちに電話をしたりしていたのをみんなは知っていた。メイに山荘でのアルバイトに雇ってほしいと思ってやってきた数人の若い子たちがメイの連絡先を聞いてきたが、幸子もメイの連絡先がわからなかった。その頃はまだ携帯電話など流行っていなかった。メイはアパートにも電話をつけてない。連絡先は幸子の画廊だった。今回はニースからの手紙にも連絡先は書いてなかった。

幸子はそれでもパーティーの終わった時点でもなお、

「寝坊しちゃった。ごめん」

なんていいながらメイが涼しい顔をして現れるに違いないと思っていた。夫の喬はしかしかなり悲観的な推理をしているようだった、

「四十になった、の電話だろう。パーティーの日時の設定を今までになく幸子の誕生日にしただろう、雪山の前に裸で寝ている裸婦の冬眠挨拶状の原画だろう。こういうのなんかのメッセージともとれるよ」

と、いう。

「やめてよ。変なこと言わないで」

幸子は否定をしてみたものの、メイがこんな形でパーティーに現れなかったことはなかったので心配になった。

「山荘の持ち主の彫刻家が何か連絡を受けているかもしれないから明日連絡してみるわ」

「そうだな。心配はそれからか。清掃は頼んであるのだろう」

「明日、九時に二人来てくれることになっている。なんだかいつもの倍疲れた」

「くたびれたな」

明日は出勤の喬は慌ただしくシャワーを使うと、

「寝るよ」

と、お休みのキスも無くベッドにもぐりこんでしまった。

パーティーの座を持たせてくれるメインキャラクターのメイの居ないパーティーで喬も何時もより疲れたに違いない。すぐに気持ちのよさそうな寝息を立て、寝入った。

幸子はなかなか寝付けなかった。メイが今苦境に陥っているのなら幸子に何らかの連絡があるはず、だから何かそれ以外の事情に違いない、と、それ以外の事情をあれこれと思い浮かべてみた。どこかに拘束されていて連絡もできない状態になっているということだけは考えたくなかった。メイは意外と用心深い。勘が働くのか、大胆な振る舞いをする割に、つまらない事に巻き込まれた事はなかった。

あれこれ考えても、やはりあの（四十になった）と云う電話に戻ってしまう。幸子はとうとう一睡も出来ずに朝を迎えた。

たまたまニューヨークの自宅にいた彫刻家と連絡が取れたが、やはり何の連絡も受けていないという。イーストハーレムに近い所にあるメイのアパートの大家さんに連絡すると、

「家賃は九月までしかもらってないよ」

と、いう。とりあえず今月分は払う約束をした。鍵を預かっているのでアパートに行ってみた。

ベッドと食卓だけの簡素な部屋。壁に立てかけられた作品たちが部屋のほとんどを占領している。住まいというより倉庫だ。閉め切っていても外からの埃が薄らとすべてを覆っていた。山荘から戻って十日もしない内の旅先から電話だった。掃除をする間もなく旅立ったのだろう。約束でもあったのだろうか。しかし、アパートには行く先が判るようなものは何もなかった。

楽しい想像がすっかり影を潜め、悲観的なことばかりが思い浮かぶ。

山荘には何か手掛かりがあるかもしれない。山荘にはメイのものがまだいろいろと残されているはずだ。毎年の事なので自分の山荘のように使っていた。幸子のロフトの一隅を自分の好きなように使っているのと同じように。

彫刻家に連絡すると留守番の手配をしているところなので決まったら連絡をくれるとい

う。メイの荷物はそんなに急がないでもいいとは言ってくれた。彫刻家も心当たりをあたってみるという。知り合いがメイの滞在したニースにも何人かいるらしい。彫刻家と一緒の旅行ではなかったようだが、ニースの彫刻家の知り合いを訪ねている可能性は大いにあった。

彫刻家の肩入れでアメリカの永住権をとったけれど日本人なのだ。久しぶりに日本に里帰りしたのかもしれない。でもパーティーをすっぽかしてそんなことはいくら気まぐれなメイでもしないだろう。考えてみれば、メイの事は知っているようで知らない事の多い幸子だった。

何年も前の事だがチャイナタウンの警察から真夜中に連絡があった時には驚かされた。大慌てで弁護士に連絡し迎えに行くと、メイはいい体験だったと涼しい顔をしていた。

今はもう無いのだがその頃チャイナタウンの地下街にいくつもあった現金の飛び交うギャンブル場が一斉手入れを受け、逃げる間もなく拘留されてしまったのだという。メイがギャンブルを楽しんでいたなんてことは全く知らなかった。

チャイナタウンのギャンブル場は、聞けば警察とはなれ合いで、黙認されているのだが、一斉手入れは、たまには手入れをしないと示しがつかないという具合に時々あることらしかった。

レストランの経営者やチップで働く従業員たちの憩いの場でもあるらしい。どのギャンブル場も入り口に見張りがいて顔見知りの東洋人しか中に入れない仕組みになっていた。そこでメイは女王様のようにふるまっていたらしい。負けが込んで遊ぶお金がなくなると、ひょいと百ドル千ドルの現金をその場で貸してくれたという。メイだけでなくそんな風にお金を借りられる人を何人も見たという。床は土間で煙草の煙がもうもうと部屋中に漂う地下室で、働いてもらったチップを倍にしようと人びとがざわめく不思議な場所だった。

その後メイに連れられて幸子は夫とともに何度か行ったが確かにメイは女王様のように扱われていた。が、借金がかなりかさみ、あるレストランの経営者の愛人のような扱いを受けているメイを見た。まだニューヨークに来て間もないころの事だ。やがてニュージャージー州やコネティカット州に合法のギャンブル場ができたり、台湾系と本土系の中国人との争いがあったりしてチャイナタウンのギャンブル場はすたれていった。

メイのギャンブル熱も警察に拘留されたり顔見知りの日本人が借金がらみで殺されたりしたのを知って急速にさめたようだ。五万ドルほどの借金を請求されたといった。その頃の幸子に五万ドルは大金だったがメイはちゃんと貯金を持っていて、貯金から払ったと言っていた。ギャンブルでしっかり儲けたのだろうか。幸子はメイにそんなに大金の貯金があった事も知らなかった。

メイは大学では同学年だが幸子よりずっと大人。ほとんど一緒に住んでいた学生時代とは違う。メイの事なら何でも知っている気がしていた幸子だったが知っているつもりが知らないことばかり。親でもないのだし。と、幸子は連絡をしないメイを困っているのでなければいいと思う反面、今の幸子の家族よりずっと前からの長いつきあいなのに、と、心配になる。考えてみれば何カ月も音信不通だった事は今までにもあった。が、それでも今回のようにパーティーをすっぽかすと云うようなことは無かった。

日本の知り合いからはメイの行く先に関して何の情報も得られなかった。なんでも普通の幸子と違って、美しく才能があり、自由奔放な生き方をしてきたメイは、日本の美術界では知名度が高かった。変な週刊誌のネタにならないよう、幸子は聞き方にも細心の注意を払う必要があった。

しばらくして山荘の新しい留守番から連絡があった。いつでもいらっしゃいという。残された荷物の中に何か手掛かりがあるかもしれないと、幸子は早速に行く事にした。アートシーズンのソウホウの幸子の画廊をアルバイトに頼み、早朝一番の電車に乗った。電車を乗り継ぎ駅からはタクシーに乗り四時間もかけてやっと山荘に着いた。車ならもっと早いが夫も仕事で忙しい。

もうすぐ雪が降り出す。雪の前の山は何かさびしげだ。木々も葉を落とし、所々にある常緑樹の緑が毒々しく見える。道端の草も茶色に萎れて弱々しい。一面に白く輝く雪の山か、一斉に元気を取り戻して緑が繁茂する短い春と夏の山にしか来たことのなかった幸子にはこんな心もとない風情の山は初めてだった。

残されていたメイの日記風な台所の作品たちは描かれた日時順にきちんと整理されていた。この春幸子が山荘に来た時に整理したのだった。ソウホウの幸子の画廊に送るようにメイのメモ書きの指示が貼ってあった。山荘の留守番をするようになってから描いたものだ。メイはそれらを時々眺めて、あの時の鍋の中はキノコがいっぱいだったとかキノコは裏で採ってきたものだったとか話しながら楽しんでいたのを思い出したのだった。

幸子はしかし突然涙がこぼれ落ちた。止まらない。どうする事も出来ないほど沢山の涙が手を濡らす。

これらの山荘の台所の絵を描きながらメイが心を休ませていると思っていた。が、違う。穏やかなんかではない。こんなにも寂しい絵だったのだ。笑いながら鍋の中身の話などしていたメイを思った。時々アシスタントの後ろ姿とかメイの料理している手が画面に入っていることはあったが人物の登場しない台所。メイは描きながら淋しかったに違いないと幸子は今思う。

三十号大のメイが最近描き続けていた自然を抽象化した作品は二点だけあった。今年の作品だ。二点とも雪山と光のハーモニーだとこの春聞いた。二次元の画面の中で雲と雪と光が踊っている。

ほかには何もなかった。メイは山荘を自分のもののように使ってはいたが人の場所だとわきまえて、あの片付けなど気にしないメイだったが、去る時はいつもきちんと整理していたから整理されているのは理解できた。しかしこんなになにも私物がないとは思わなかった。

幸子は何か絵の中にでも手掛かりはないかと思った。が、潔いところもあるメイの事だ。もし身を隠すとして手掛かりになるようなものは残さないに違いない。全てを捨てて、あるいは食い尽くし、新しい山に移動する。そう、ジプシーモスのように。次の命のためにどん欲に食べ、朽ちてゆく。次の命。メイの次の命。メイが今次の命を温めている。そんな状況だったらどんなにか素敵だろうと幸子は思うのだが。

どうするすべもない大自然の中に居ると、小さな自分の命も風や雪や水、木の葉たちの中にひらひらして見える。メイの大きな作品はそんな浮遊している命ばかり絵にしている。自然の中に揺れている命。いつでも消えておかしくない命。

メイは確かにあらゆる物にも人にも、関係にも執着する事がなかった。自分の小さな命も何時消えてもおかしくないと思っているに違いない。

こんな話をしてくれたことがあった。あるクリスマスの朝だった。イブのパーティーか

ら直接幸子の所にやってきたメイがゆっくりと風呂に入り、出てくるなり、

「今朝はね、泣けちゃったわ。近くに住んでいる顔見知りの老人が昨夜、すてきなさよならをした。クリスマスの夜に。聞く？」

と、少し目を赤くはらしながら言った。

八十代半ばだろうか。どこか聞いたことはないがメイの借りているアパートの近くに住んでいる、年金で食べている日系の老人。近くの、道路に囲まれた小さな街中の公園のベンチで休んでいる姿をよく見かけたという。メイとも眼が合えばうなずきあう程度の知り合いになっていたという。いつも新聞とたぶん一日の食事が入った買い物袋を提げていた。外に出るのはその買い物の時だけだろうとメイは言う。そんなちょっとした買い物に出るときでもきちんとした身なりをしていたという。夏は糊のきいた半そでの開襟シャツ、冬になれば黒い外套に黒い帽子、杖をついていた。ゆっくりとした足取りで歩いている姿を見たことがあるがしゃんとしていた。よろよろはしていない。

メイの観察では一人住まいだろうという。聞くところによればもう長いことこの町に住み小さな店の主たちは互いに顔見知りで老人の事もよく知っていた。昔は腕の立つシェフだったと聞いた。

「その老人がね。今朝、公園のベンチに雪をかぶって座っていた。荷物は何も持っていなかったわ」

と、メイは珍しく声を詰まらせた。

「覚悟のさよならね。もう少し早ければ、温かい手を握ってさよならを言えたかもしれない」

メイが通りかかったとき、ちょうどお巡りさんが老人の座るベンチの前に立ち腰をかがめ老人の顔をのぞいているところだったという。メイにはそれがすぐにあの顔見知りの老人だと判った。黒い帽子とコートの肩にはかなりの雪があったという。

クリスマスの街の朝は遅い。老人は大好きなベンチできっと老人の望むように一人で静かに逝った。何を思いながら逝ったのだろう、メイは隣に座って見送りたかったと言った。しかし、老人はそんなことは望まないだろう。メイにはそれも分かっていた。

「いいお別れの仕方だと思うな」

と、メイが言って話は終わった。

「含蓄のある話がいっぱい聞けそうな人ね。会ってみたかったな」

と、幸子もクリスマスの食卓の用意の手を休めて聞き入っていた。

「彼のために極上のシャンペイン」

と、喬もグラスを用意している。

メイはその話をしながら自分の逝き方を思っていたのだろうか。そんなクリスマスの朝があったことを幸子は思い出していた。

そんなことを思うとこれらの山荘の台所の絵が一層淋しげに見えてくる。

幸子の画廊に送る手配をしながら、こんな仕事をしていただろうメイのアシスタントを思い出した。すっかり忘れていたが彼に聞くのが一番メイの最近の様子はわかるのではないか。何しろ半年も二人で山荘に生活していたのだから。あたふたとしていて幸子はそのことに少しも思い至らなかった。そういえば冬眠挨拶パーティーに彼は来ていなかった。が、確か写真家の卵だと云っていたが、彼の連絡先が判らない。メイのニューヨークの部屋にも手帳のような物は何一つなかった。

ふと、探すなと云っているの？　と、幸子はメイに問いかけてみた。パーティーをすっぽかして姿を消すなんて、メイらしい。そんなことはメイしかしない。けれど考えてみればメイが事を事前に幸子に相談した事なんて一度も無かった気がする。メイは何時だって一人で自由に、勝手気ままにひらひらとしていた。ニューヨークにやって来たときだって事前の連絡など無かったのだ。いついなくなっても何の不思議はない。自分が主役のパーティーをすっぽかして消える。やはりメイのやりそうなことだ。

幸子はやるべき仕事だけを終え、泊まってゆけばと云う新しいアシスタントのすすめを断り車を呼んでもらった。電車の走るハドソン川沿いの駅に向かって山を下りた。

駅には誰も居なかった。吹き曝しのホームで最終の電車が来るまで三十分あった。もう何も見えない闇。電車は本当に来るのだろうか。時刻表には載っているけれど幸子はなんだか不安だった。

（こんな時間をメイ、あなたは私にくれたのね。こんな真っ暗な時間を）

幸子はメイが急にずいぶんと遠くに感じられた。

（メイ、私たち、そう、ニューヨークはもう食べ飽きたのかしら、食い尽してはいないのに。美味しい所はこれからだと思うけど）

ゆっくりと各駅にとまって走る電車の窓から見えるハドソン川の黒い水面を眺めるともなく眺めているうちに幸子は眠りこみニューヨークに着くまで目覚めなかった。久しぶりに得た深い眠りだった。メイの夢を見て居た気がするがどんな夢だったか思い出せなかった。

囚われて

サンクスギビング、クリスマス、新年と慌ただしくパーティーシーズンが過ぎて街の道路にも雪が残る冬も深まり、メイの居ないままの日常が過ぎてゆく。居間にかけられたメイの大作を幸子は時々掛け替えて眺めた。そのどれにもメイがひらひらと踊っているように見えた。時にはすいすいと。そして時にふらふらと。

「楽しそうね。あなた。楽しそうに見えるわ。違うの。きりきり舞いしていたの。消えたいほどに。違うかな。今度はどこへ行こうかと漂っているのかしら」

幸子は声に出して話しかけてみる。

画廊をアルバイトに任せ、休憩する一人の昼の時間は静かだ。居間の長椅子でお茶を飲みながら誰にも邪魔されずにメイに問いかける。夫の居ない夜にはワインを片手に絵に向かう。息子に期待するより、夫に期待するより、メイ、あなたに期待していたのに。あなたの居ない毎日はなんだかつまらない。締まらない。お洒落をしてもなんだか一つ決まらない感じ。大切にしている指輪をして初めて自分のお洒落が完成するみたいに、メイ、あなたは私の不可欠な何かみたい。

（幸子の引き立て役ってこと？　ずいぶんね）

メイが呆れた顔をして幸子の肩をぽんと叩くような仕草をしそうだ。引き立て役は何時だって私だった。と幸子は思う。

公園で葉のまだ少ない春先に大木を見上げた時に、先が見えなくて、まだずんずん伸びて行きそうな梢。そこにはどんなかわいらしい葉が付いているのだろう。目をつむり若緑色の一葉を思い浮かべる。そんな事を想わせるメイとの毎日だったのに。不意に姿を消して、メイは何を言いたいのだろうか。

幸子はハドソン川沿いの道を走りながらメイと過ごした日々の断片を思い浮かべる。消えてしまいそうなヒントはそのどの断片にもあった。どこに？　自然の中に。あの冬眠挨拶状みたいに雪山を背景にガラス張りのサンルームで裸で寝そべっているのかもしれないし、ワイン片手に本当に雪山に冬眠しているのかもしれない。

マンハッタンを南から北まで走るとおよそ十四マイル。休みの日の幸子のコースだ。走りながら幸子はメイに囚われる。思っていれば戻ってでも来ると云うように。途中、いつも水辺のレストランで休憩する。似たようなランニングウエアーの人たちで賑わっていた。

遅く起きるメイとここで待ち合わせをして朝食を一緒にしたこともあった。メイはランニングなどしなくてもジムになど通わなくても若い頃の体型を保っていたので、汗を流している幸子を苦行僧のようだと笑う。何度か誘ったが、森の中を歩き回るのは好きでも街中を走る気はないと、断りの手をひらひらさせて笑っていた。ふと、レストランの入り口に薄い生地の藤色の花模様の服を着たメイが〝おまたせ〟と云うような仕草をしながら入ってきた気がした。別人だった。でも、メイはそんな風に又突然に現れるような気がした。大学の掲示板を見ていた幸子の前に突然現れたように。

メイが居なくなってもう三カ月が過ぎた。メイが意識してそう仕組んだように行く先の手掛かりは何も見つからなかった。

この三カ月、画廊に居ても家事をしていてもなんだか全てが上の空だった。幸子はそんな自分に戸惑っていた。メイが居なくてもちゃんとある毎日に戸惑っていた。ちゃんと来る新しい毎日。息子は大学に行って恋をして子供も出来て新しい家族との交流もあって、夫は仕事が面白い、忙しいと云いながらもしかして幸子の知らない所で浮気なんか幾つかして、そんな毎日が重ねられてゆくだろう事に戸惑っていた。そんな当たり前な毎日。それがこれまで幸子がはぐくんできた大切な毎日のはずであった。メイの新作の入らない幸子の画廊と和風喫茶店。場所のおかげで順調に経営して行ける。メイが居なくたって、ちゃんとある毎日。

メイはきっと幸子にも言わなくてもいいような、幸子が居なくてもいいような、絵なんか描かないでもいいような何か、幸子にはうかがい知れないきらきらとした毎日を見つけてしまったのだろうか。それならいい。私たち家族を捨て、自分の才能に見切りをつけ、自然に帰って行ってしまったのでなく、どこかで幸せに生きている。見物人なんかいらないほど充実した濃密な世界があって。それならいい。そう、きっとジオノの小説の主人公のような山に住みドングリを拾い、苗を育て、木を植え続ける優しい初老の男に出会って、毎日幸せなメイ。それなら絵を描かないメイでも幸せになれるかもしれない。一緒にドングリを拾い、木を育て、パンを焼きピクルスを仕込み、ストーブの上の鍋には美味しそうな匂いのするシチューがあって。その台所の絵をもう描かなくていいのね。にこにこしながら一緒に食べる人がいるから。

（それならいいわ、メイ）

幸子はそんなメイを夢見る。そしてやがて枯れ木のように自然に帰る。メイはそんな場所を見つけたに違いない。

（それならいいわ、メイ。私は夫と息子と平凡な毎日を生きてゆく）

夕暮れ時には幸子はハドソン河の川面に揺れるネオンサインのきらめきを眺めながら走る。早朝走る時と違うのはあたりが見えない分、自分の中を見続けて走れた。

この大都会には枯れて自然に抱かれる場所なんて無い。山を食いつくして生き延びるジプシーモスのようと思っていたけれど、メイあなたはジプシーモスに身をささげる森の木の葉だったのかしら。

幸子はメイが居なくなって一層メイに囚われる。メイの作品があちこちに飾られているせいばかりではない。姿を消す前だってそんなに頻繁に会っていたわけではないけれど、今は四六時中一緒に居るような気がする。きっぱりとメイのいない毎日を家族と生きる決心を何度もしたのに一層メイに囚われている幸子だった。

夫もいて息子もいて仕事もある。消化しなければならない毎日もある。

と、走った後の心地よいシャワーを浴び、夕食の用意をしながら幸子は呟いてみた。

「そう、メイ、あなたに見ていてほしいのよ」

幸子は思う。

（メイが作品を見せるように、自分を、自分の毎日をメイに見ていてほしい。メイ、ずいぶん昔になるけれど大学の掲示板の前でうろうろしている私に声をかけ、自分からその役割を引き受けたのよね）


クローゼットの奥に実家の兄嫁から送られてきたミカン箱が二つしまってあった。幸子がニューヨークに永住すると決めた後、結婚前の日記とか手紙類を勝手に捨てるわけにはいかないと送られてきたものだった。もう何年もそのままになっていた。

「過去からの荷物、なのね」

と、幸子は夕食後、こんなときだから過去は思い切って整理整頓しよう、と、居間の暖炉に火を入れた。夜はまだ寒い。ビル全体にスチーム暖房があるのだが暖炉は飾りのようなもの。電気なのだが薪を燃やしているような雰囲気の作りになっていた。

傍に椅子を引き寄せミカン箱を開けた。中身はさらにビニールの袋でくるまれていた。幸子自身がした仕事だ。箱の上に赤マジックペンで重要なんて書いておいたものだから実家でも捨てられなかったのだろう。服や本の類いはすっかり処分してくれたと聞いた。実家に帰ってももう自分の部屋は無い。姪が使っていた。これらのミカン箱が実家に残っていた幸子の最後の荷物だった。結婚前の幸子が捨てがたかった物。日記帳とかもらった手紙とかプレゼントされた物などが入っているはずだ。過去の記憶。消してしまいたくなかった記憶。開けてみなければもうすっかり忘れてしまっている記憶。そんな奥底に収まっている記憶を掘り起こして感傷に浸ろうか。

メイが消えてから、幸子の頭にも体にも何時も、ざらざらとした気持ちの悪い風が吹いている。時には強く吹き体中が痛い。

「何して居るの」

喬がぼさぼさの髪をかきながら起きてきた髪が大分少なくなってきたのでいつも気にしていた。

「目が覚めたので、整理整頓」

「明日もあるから、適当にしたら」

「そうね」

冷蔵庫から何か取り出して、多分ミルクだ、夫はまた寝室に消えた。幸子はワインを飲みながらも、すっかり目が覚めていた。喬も時にふと、

「メイってグラス持つとき煙草を挟んでいた手で持つんだよね。あれ何時も危なっかしい

と思っていた」

なんて唐突に云う事があった。幸子を気遣ってか消えたメイの事はあまり口にしない喬だったが、それが唐突であるほどに、喬の頭の中にもメイの姿が時々は帰ってきているのだと幸子は思った。メイが姿を消して三カ月たって失踪届も出した。メイがいなくなっても、きりきりしているのは幸子だけのようだ。それも寂しい幸子だった。

ミカン箱の中のビニールの袋を開けると中身のリストがまずあった。自分で作ったものだ。小学校から大学までの成績表。卒業証書。作文集。レース編みの花瓶敷。これはそう、高校生の時好きだった男の子にあげるために作ったけれど美しすぎてあげるのが惜しくなってしまったものだ。貰った恋の詩。貰った手紙類は捨てられたけどこの恋の詩だけは捨てられなかった。その男の子はあまり好きではなかったが詩は素敵だった。もう一つの箱はアルバムだ。この箱の持ち主、つまり幸子はしっかりと整理されていた。小さなミカン箱のように、四角四面にまとまっていた。何だ、これが過去の私。幸子は自分を見つめる。なんだかほころびの無いまとまった女。

メイと山に行った時撮った二人一緒の写真もあった。ブナの大木に寄りかかり大木の木肌に溶け込みそうな、透明な感じのメイの横で幹に抱きつくようにして片足をはね上げたりしておどけている幸子が居た。

メイのひらひら感を少しもらって生活を彩らせていた気がする。自分では決して作りだす事の出来ないひらひら。ちょっとしたそれが無かったら退屈な毎日。

平凡がいいと云うのは母の口癖だった。母の期待にこたえた。親孝行な娘。もうその母も見送ったのだし、平凡でなくてもいい。幸子は時にハチャメチャをしたいと思う。

「出来るわ」

ワインのグラスを空けながら、幸子は立ち上がり勢いよく、でも小声で呟いてみた。メイと云う装飾品なしでも自分を素敵に生きたい。いいえ、メイという過去をいつまでもまとって居たっていいのかも。幸子はワインに少しふらふら。思いも定まらない。

暖炉の火が小さく燃え続けていた。本物の火の色ではない。メイの居た山荘の暖炉の優しげな音をたてて燃えるオレンジ色の火を思い出していた。メイは確かに自由に気ままに本物のメイを生きていた。だから思い切って終わらせることができた。

幸子はふと、自分がもうメイはこの世にいないと思っていることにびっくりする。

幸子はワインを飲み、夫を装い、ソウホウを装い、画廊を装いクストの服を身にまとう。そう、メイはメイブランドという誰にも真似できない自分を装っていたけど、なんだ、幸子は唯、借り物をまとって流されていただけだ。と、ふと自分を省みる。

メイに選ばれて嬉々として脇役を演じていた自分。やっと解放されたのよ。今こそ一人で生きたらどう。と、強がって自分を鼓舞しなら途方に暮れる。

幸子はワインをグラスに注ぎながら黄緑色の長椅子に深く沈んだ。

森の木々は月明かりに黄緑色にも銀色にも輝いて見えた。

幸子はメイの絵の中にいた。満月なのに森の中は暗い。時々木々の隙間を縫って差し込む月明かり。木々の枝が入り組んでアーチ型の天井を作っていた。ずっと奥に小さな明かりが見えている。そこは満月が煌々と満ちている草原が広がっているはずだ。メイはそこに向かって駆けていく。心残りは何もないというように、振り向かず、メイが軽やかに駆けてゆく。

幸子は唯、眺めていた。

(走ったらすぐ追い越してしまうもの。それはできないわ)

(メイ、あなたを引きとめる事が出来る物はもう、何もないのね)


「出かけるよ」

すっかり出かける支度の出来た喬が落ちかけていたタオルケットを幸子の肩まで引き上げながら、(いい加減にしてよ)といった顔つきで出かけて行った。

(こういう自分を自分で引きうけてゆくしかないわね)

覗いただけで何一つ片づけられてなどいない過去が長椅子の周りに散らばっている。

壁のメイの絵が笑っていた。

幸子はメイの絵が好きだ。自然と共に生きる小さな命を描いている。どれも一生懸命生きている。

（私が育ててゆくのね。あなたの子供たち。私が大きくしてゆく。立派に巣立たせる。それが私の仕事）

幸子は土産物ばかりの画廊でなくてメイの絵が私の画廊を育ててくれる。と、いま、そんな風に感じる事が出来た。

（そうだ。メイの使っていた地下のスタジオを改造し、メイの作品を見せるスペースにしよう。一点ずつしか見せられないスペースだけど、それもまた面白い。週替わり、あるいは月替わりに変えて見せればいいわ。ありがとう、メイ。いつまでも一緒だっていいわよね）

幸子はメイの絵を眺めながら勢いよく立ちあがり、浴室に向かった。

胸つく坂

(一)

坂と云うと私はよく山頭火の(もりもりもりあがる雲へ歩む)を思い浮かべる。そこは坂道。この坂は透明な坂。秋のすがすがしい青い空にもりあがる雲。その雲を突き抜けて何処までも続く緩やかな上り坂。私は勝手に秋の坂と決めている。

その坂は気持ちの良い風が吹き、迷いを誘わない、潔い坂。(後ろ姿のしぐれてゆくか)のしょぼしょぼとした山頭火でなく、しっかりとした足取りでゆく後ろ姿が目に浮かぶ。

私の坂は夏でも薄暗い。

そんな時があったのだろうかと思うほど遠い昔、十三歳の夏、私は桂坂を上りながら何気なく小石を蹴った。小石は壁に当たり、思いがけない音を放った。小石は壁にぶつかり、跳ねてから、今度は抜け殻のような気の抜けた音をたて坂道を転がり、私の足元に戻ってきた。

私は壁にぶつかって奏でたその思いがけない音の響きにうろたえ、立ち止まり、跳ね返って足元に帰ってきた小石を眺めた。そして、唐突に、その音の響きを小説に書きたいと強く思ったのだった。小説など書いたこともないのに。

その硬く澄んだ音が時にふと、私の中で響き、その音のことを小説に書きたかったということを思い出した。

父が読んだ本なのか母の蔵書だったか定かではないが、本箱にあった古びた文庫本の長塚節の小説『土』を読んだばかりで、なぜか妙に動揺し、声をあげて泣いた十三歳の夏。六歳まで住んでいた、田舎での心地良い思い出と『土』に書かれていたことの落差を知らされたからだろうか。土に生きる人々のやるせなさ、せつなさをその時私が理解したというのだろうか。何故か判らないけれど、やたらに涙が流れたのだった。

そしてその小石の音が響き渡る時は、『土』に感動し泣いたことも思い出した。

桂坂は台地を削って造られたのだろう、土どめの為に片側は高く、コンクリートの壁になっていた。三メートルほどの高さのある壁のところどころに隙間があり、そこから水が染み出て、いくつもの筋をつけていた。水は壁から道にまで伸び、冬にはその筋が凍って光って見えた。上のほうから木々の枝がしなだれ落ち、坂の空の半分を覆っていた。壁の少しばかりの亀裂にたまった土の間から日陰に強い様々な草が伸びていた。

暗く、交通量は多い。が、車ばかりで、人の通りの少ない坂道だった。

私はその道が好きだった。コンクリートの壁がある片側にはその頃は歩道もなく、危険なので通ってはいけないと言われていた。が、私は中学校への通学路にしていた。

木々の枝が伸びて屋根のようになっている暗い桂坂は、坂の終わりで急に、電線が縦横に走っている空の、賑やかな通りと交差していた。

坂の途中、コンクリートの壁がない反対側の横道に入ると、教科書にも作品が載っている、高名な小説家のレンガ色をした洋風の家もあった。坂の終わり、賑やかな通りとの角にあった大谷パンの工場からはいつも異国風なパンの焼ける良い匂いがしていた。

大谷パンの工場の手前で、コンクリートの壁が路地に沿って曲がっていて、その奥に細川君の家があった。

坂は緩く弓のように曲がっているので下から上ってくると、道から直角に曲がる路地の片側を、やはり土どめの為の、灰色のコンクリートの壁がすぐ目に入る。その奥に古びた木戸があり、表札は出ていなかったが細川君はいつもその中に消えて行くので、そこが細川君の家だと私は知っていた。

私がその時蹴った小石は細川君の家に続く壁に元気よく当たってしまったのだった。当てようと思って蹴ったのではなく、たまたま当たってしまったその小石の思いがけない音色に驚いた。その響きはとても一言では言えない複雑なことを含んでいるように思えた。きれいに澄んでいるだけでなく、高く乾いているだけでなく、硬く細いだけでなく、自分には言い尽くせない何かを含んでいる気がして、いつかこの音色を小説に書いてみたいと思ったのだった。この音色のことをうまく言える時がいつの日か来るだろうと。

小説にしたいなどと唐突に思ったのは坂の途中に高名な小説家の家があったからだろう

か。その高名な小説家の孫娘が小学校の時同じクラスにいて、そのおしゃれな家に遊びに行ったこともあった。あるいは『土』を読んだ直後だったからかもしれない。

小石の、壁に当たった音に驚き、立ち止まると、真上からの夏の強い日差しが感じられた。見上げると、いつもの木々に覆われた薄暗い坂とまるで関係ないような明るい、夏の青い空があった。

あれから長い年月が過ぎた。

長い年月は、小説を書く修業をしたわけでも、書こうという努力をしたわけでもなく、普通の勤労者の生活の時間で埋まり、そろり、終わりの時が近づいている。

この頃では、それまで捨てられずに身の回りにあったものを、ぽんぽんとゴミに出せる。他人には価値のない物。それでも持って行ってくれる人があるかもしれないと、透明な袋に入れ、きれいに仕分けして捨てる。(こんな事をするのは執着心からかしら)なんて思いながら。

そんなある日、テレビのニュースの画面に細川君が映っていた。焦げ茶のジャケットの下には黒いシャツが見え、白っぽい服装の周りからは少し浮いていたが、なかなか決まっていた。マイクを持ったアナウンサーの横に立っていた。細川君は確か新聞記者になったと聞いていたが、テレビ関係の仕事に変わったのかなと思った。が、どうやら取材されるほう。

年を経た人にありがちな曖昧な顔ではなかった。まだ世の中に生きている、というふうなしっかりとした表情をしていた。

細川君はマイクを向けられても答えることはせず、うつむきかげんに立っていた。その佇まいがなんだかざわついている他の人たちと違って静かに見えた。が、テレビの取材と気がついたのか、そこにいることに飽きたのか、映りたくないと思ったのか、くるりと背を向けて画面から消えた。

短い時間だったがそれでもその初老の男が私には細川君だとすぐにわかった。細川君の眉毛と眉毛の間、額の真ん中にある丸い黒子のことで私は細川君をからかったことがある。その黒子はかなり目立つのだった。その喧嘩はどういう経路で伝わったのか、母の知るところとなり、体のことをとやかく言ってはいけないと、ひどく叱られた。

近くで死体が見つかり、発見者があたりの川沿いを住みかにしている路上生活者で、その取材だった。細川君が第一発見者というわけではなさそうだ。たまたまその取材に出会ったということらしい。そして、細川君もそのあたりに住んでいる路上生活者であると、アナウンサーの言葉の流れは言っていた。

細川君が路上生活者であるわけがない。何かの間違いに違いない、と、私は思った。

テレビを消すと、私の中で久しく聞かなかったあの小石の音が聞こえてきた。細川君の家の木戸に続く壁に当たり響きわたった音。私は洗濯物をたたんでいた手を休ませ、しばらくその音を聞いていた。音は繰り返し響いている。止まらない。私はドキドキする心臓を鎮めるために、お茶を入れた。

路上生活者。細川君と路上生活者というのはあの時の音色のように不思議。その音はでも、もし細川君が本当に路上生活者であるならそんな細川君を象徴しているような気もしてきた。あれはそんなことも思わせる複雑な音色だった。

あの日私は、夏休みに入って人の少ない、普段とはまるで違う雰囲気の中学校に、転校のための書類をもらいに行った。新しい家から同じ中学校に通うには二時間もかかるので、転校を決めたのだった。小石を蹴ったのは、その帰り道での事だった。

細川君とは小学校の時の絵画の塾でも一緒だった。書道教室でもそろばん塾でも学習塾でもなく五人しかいない絵画の塾だった。月に二度、日曜日に画家のアトリエに行き、絵を描いたり、美術館に行ったり、ときには遊園地に行ったりと、遊びに行くようなものだった。

画家は大きな家の庭の隅に建てられていた蔵を借りていた。蔵の一階がアトリエで、急な階段を上がると生活をしている空間があった。そのアトリエの様子や自分の家とは違う作りが面白く、絵を習いに行くというより遊んでいることのほうが多かった。その蔵を貸している家の子も塾に来ていた。絵を習う為というより、先生の知り合いの親たちが先生の生活を助けるために子供を送り込んでいるというような塾だった。

近くには書道教室やそろばん塾はあったけど、今と違って教科を教える学習塾などなくのんびりした時代だったのだ。中学に入ってから私はその塾に行かなくなったし、私立の中学校に行った細川君とも会うことはなかった。

大学生だった頃、その画家の個展が銀座の画廊で開かれ、そこで、画家から細川君は家族とアメリカに行っていると聞いた。（英語がペラペラになって帰って来るのかしらねなんて話題になった。画家はその頃学校の先生をしながら絵を描いていた。画家は画壇からもとり上げられることも多く、輝いていた。三十代後半だったろうか。インドで取材したという画題にふさわしく画家もエスニック調の布の服を、着るというよりまとっていた。痩せた体にそれがよく似合っていた。画家を取り扱った美術雑誌や、新聞の切り抜きなどもさりげなく置かれていたし、取り巻き風の人たちも入れ替わり立ち替わり来ていた。半分以上売約済みらしい。絵の下にある画題を書いたカードに赤い丸いシールが付いていた。絵画の塾はその頃はもうやっていなかった。

私はその時はじめて細川君がアメリカに住んでいることを知った。細川君にも会場で会えると思っていたので、そのニュースは意外だった。塾で一緒だったほかの三人はすでにそのことを知っていた。私立校に進学した細川君と以前道で会ったりしたという。父親が芸術家ということだった。父親はずっと前からアメリカに行っていて、呼び寄せたということだった。そういえばあの頃細川君のお父さんを見たことがなかった。

(結構可愛かったよね、細川君)と五人のうち細川君だけが男の子だったので、人気があった。細川君は学校ではいじめられっ子だったが絵画の教室では人気者だった。画家も細川君をひいきしているように思えたが、ひいきするには細川君が可愛かったからだけでなく、その芸術家の父親がらみの何か関係があったかもしれないとその時思った。

英語がペラペラだって路上生活者になることもあるのだろう。英語がペラペラになって帰ってきたのだろうか。新聞記者になったというのもその画家経由で聞いた。新聞記者だって路上生活者になることもあるのだろうか。画家ももう死んでしまったので確かめる手立てはなかった。以来付き合いは全くなかったがあのお絵かきグループのほかの三人を探し出して尋ねようか。が、気軽に他人に尋ねられない気がした。きっと勤めていたという新聞社に行けば何かわかるかもしれないが、なんだか気が引けた。あまり騒ぎたてては いけない事のような気がした。

幼馴染が路上生活者になる。人は時に、金持ちにもなるし貧乏にもなる。取り立てて珍しいことではない。が、あの可愛らしかった細川君と路上生活者というのがなんだかかけ離れている気がして心がざわついた。周りに援助の手を差し伸べる人々がいくらでもいそうな雰囲気のお坊ちゃま風だったのに。テレビに映った細川君はもうお坊ちゃま風ではなく、苦労している詩人風といった感じだった。

路上生活者はやはり大都会に集まってくるようだ。今はもう見ることはないが、東京の上野公園や隅田川沿いの青いビニールハウスの群れは、近くを通る時はいつも気になっていた。花見客でにぎわう桜の時期には、居ながらにして花見が出来るなんて思ったけれど、花見どころではないのかもしれないし、一杯飲みながら一日中花見を楽しむのかもしれない。私が住む所を失ったら仙人のように山の中にこもりたいと思うけど。一日中のんびりと山菜をとり、木の実を拾い、木登りを楽しめる。山姥と呼ばれるのだろうか。が、獣に襲われたり、虫に刺されたり、自然からの恵みを受けるにはそれなりの支度や知識が必要だ。やはり人さまの恵みに頼れる大都会に身を寄せるのが生きやすいのだと想像がつく。

田舎に住んでいた時、村の真ん中を走る県道の崖の下に人が倒れていた。そんな光景は初めてだった。夏だったのに黒いコートに顔まで埋めて蹲っていた。（行き倒れだ）と大騒ぎになった。誰かを頼って村まで来て、力尽きてしまったのだろうか。戦後、街には住まいのない人はあふれていたに違いないが、山奥では珍しかったのだろう、祖父母たちもその日の夕飯の時、ヒソヒソざわついていた。

テレビで細川君を見かけてから私はほとんど毎日細川君のことを思い出していた。あの響きが日ごとに聞こえてくる回数が多くなり、体中に響き渡っていた。時に鈴の音のようにはかなげだったり、ある時は何かに駆り立てるように聞こえたり、時には振動までともなって、危険を知らせるサイレンのようにも聞こえたりした。

考えてみれば、私の次なるビッグイベントは死ぬことなのに、人生の締めくくりの時が近いというのに、気がつくとあの音を聞いて洗濯物を干す手が止まっていたり、テレビを見ているようで見ていなかったり、小説を書きたかった事など思い出し、気持ちが落ち着かない。

(二)

テレビの画面で細川君を見てから半年ほどして、健康な体だったら自然とうねうね、ウキウキ体を動かしてみたくなるような小春日和に、あの小石の奏でた音を聞いた桂坂を歩こうと思い立ち、私は朝早く家を出、電車を乗り継ぎ、午後二時ごろ最寄りの駅に着いた。

街は高台にあり、駅方面に向かう以外はどこに行くにも坂を下りなければならない。だから近くには桂坂を始め胸突き坂や警察前坂、ウナギ屋横坂など通称名を含めいろいろな名前がついた坂があった。菓子屋が角にある坂とか風呂屋のある坂など他にも名前の付いていない細い坂がどの方面に行くにも迷路のように延びていた。

すっかりおしゃれになった駅前通りから公孫樹並木の桂通りをゆっくりと歩いた。建物も店も学校もほとんどが新しくなっているが、昔のままの木造の店が新しくなった街並みの中に、たまにぽつんと残っている。こだわりがあるのだろう。古くても磨きあげられている。新しい建物の間で張り切っていた。でも中には仕方なく昔のままの姿でひっそりと身を潜めているような家もあった。さまざまな事情の中で街も人と同じように五十年以上の月日を重ねていた。

横道を入ったところにあった風呂屋はまだあった。昔のままの佇まいだったが、風呂を存続させるための会が出来たらしくその旨が書かれたポスターが貼られていた。子供の頃は十五円とか二十円の入浴料だったと思ったが、大人の入浴料は四百五十円とあった。下駄箱の前には古びた椅子が三脚並んでいた。風呂上がりに一休みするのだろうか。人々の集いの場になっているようだが、明日にでも閉鎖されてもおかしくない雰囲気だ。風呂屋の向かいにあった駄菓子屋はもうない。ひょっとしたらと思っていたが、通りに面してあった級友たちの家の表札も変わっていた。そんなに年経ていたのか、と、昔住んだ街を歩いて思い知らされる。

通りから少し外れて、映画の撮影にもよく使われた古い大きな木の門や、門の上に枝を伸ばしている松の木、そしてそんな門を持つ人の広い敷地は昔のまま残っていた。住んでいた一族が所有はしているが、そこには住んでいないと聞いた。

その広い敷地を持つ製薬会社社長の秘書をしていた父が東京で最初に家族と住んだ家がこの広い屋敷の中にあった。広い敷地の中には池や山や森があり、一歩屋敷の中に入ると、東京に住んでいる気がしない。社長の屋敷の中に住むという窮屈さを母や父は感じていたらしいが、子供の私はそんな事は一向に感じず、雪が降ればそりもするし夏にはホタル狩りや、釣りを楽しんだ。この屋敷の中の小さな家に私たち三人家族は郊外に移り住むまで住んでいた。

すっかり都会的に整備された桂坂に続く道には銀杏を拾う婦人たちがいた。車の出入りを整理する制服の人たちが立っているやんごとない方の邸宅があって、その辺りから緩やかに桂坂は始まっていた。そして、坂には両側に歩道もちゃんと作られていた。もう危ない道路ではないようだ。

新しく見えるコンクリートの壁にはところどころ水抜きの穴があいている。水は染み出てはいなかったが、上のほうから木々がしなだれ、黄色くもみじした蔦も何本も下がっている。見上げると蔦は木の枝から下がっているのもあるし、コンクリートの壁の内側の地面からあふれるように伸びてきているのもある。木々の勢いは昔のままだった。

家々はどれも新しくなり、坂の終わりのほうでは高速道路が高いところに坂を横切って通っていた。大谷パンもおしゃれな建物に建て替わりショウルームまで出来ていた。あの頃は匂いだけだったが、ガラスケースの中においしそうに菓子パンが並んでいる。喫茶店もあり、テーブルや椅子が小さなテラスに並んでいた。高速道路の下で車の流れを見ながらお茶を飲むらしい。桂坂はあの頃のような暗い、危ないというイメージはもうなく、おしゃれな新しい坂に生まれ変わっていた。

あの頃から同じようにある童話の中の小さな城のような小説家の屋敷の前には、以前はなかった標識が立っていた。レンガ色の漆喰の壁、曲線の窓枠など、どことなくスペイン風の雰囲気の家。そういえば作家にスペインにまつわる小説もあった。その、もうかなり風化している標識によれば、建物は今資料館になっていて、住んでいる人はいないらしい。

やはり、細川君の家の木戸もその後ろに見えていた木造の家もなかった。

（ご近所の皆様へ）という工事予定と、立ち入り禁止の札が壁に取り付けられてあり、木造の門があった辺りには灰色のビニールシートがかかっていた。建築会社名の入った貼り札もある。それらがコンクリートの壁に高さも大きさも不揃いに貼られていた。そこだけがぞんざいに扱われているようであたりの雰囲気からは異質に見え、痛々しい。今工事中ということは最近まで細川君の家はあったということだろうか。判らない。とうの昔に人手にわたったのかも知れない。だいたい家が細川君の家であったのかどうか。借りていたのかもしれない。詳しい事は何も知らないのだった。

私の蹴った小石が当たって響いた、道から直角に延びているコンクリートの壁も崩れてでもいるのだろうか、中ほどから灰色のビニールシートで覆われていた。

私は道の反対側に渡り、少し高くなったところから、ビニールシートをかぶった門の奥はどうなっているのだろうと、つま先立ちしてみたが、奥には生い茂る木々の間からさらに奥にあるお寺の屋根が見えるだけだった。あたりの木々は伐採もされず、あの頃からずっと伸びつづけていたように大木になっている。

木々は茶色っぽい赤やあざやかな黄色にと常緑の木に交じって、しっかりと生き、季節を歌っていた。


テレビの画面にその顔を見かけるまで、細川君の消息は長い間何も聞こえてこなかった。忘れていた。でも、あの小石の響きは時に聞くともなく聞こえていたのだから、細川君のことを完全に忘れていたわけでもない。あれは細川君の家に続く壁にあたった小石の音だったのだから。

私はなぜあの時小石を蹴ったのだろう。

私は家から通える範囲にあった私立大学を出、通える範囲にあった製薬会社に入り、普通の勤め人になり普通の結婚をし、ごく普通に年をとったから、路上生活者になる知り合いがいることに少し動揺していた。それがほかの知り合いでなく、細川君なので、なんだか落ち着かない。

普通は嫌いだったのに、思えばずいぶん普通に生きてきた。親族には事件になるような波風を立てる者もなく、まあまあ普通の範囲だろう。いまさら普通だったと括ることもないけれど、路上生活者に知り合いがいることを思うと、人口一億余の中で路上生活者はわずか数万人以下らしいので、そういう知り合いがいるというのは普通から少し外れるかもしれない。普通が嫌いだったのだから、やっと念願がかなったということかと、笑ってみる。

夫が死に、一人になり、定年になってからは、やりたくないことは一切しないと決め、質素だが気ままな毎日だった。あのテレビの画面に細川君を見つけなかったらそんな毎日が続くはずだった。が、あれ以来私の体の中にあの小石の音が頻繁に鳴り響く。

どうしたのだろう。私は自問する。普通でない自分。知り合いが路上生活者と知ったらだれだって心騒ぐ。手を差し伸べることができるほどの資産もないのだから、どうしようというのか。テレビで言われていたように仮に細川君が本当に路上生活者だとしても、好きでやっているのかもしれない。私だって山姥になりたいなんて思ったこともあった。

心が騒ぐのはまだ若い証拠。世間に参加している。などと、呟いてみる。新聞を読むことテレビを見ることでしか社会とつながっていないのに。

習い事をして社会とつながっているような気がしていた時もあったが、そんな参加の仕方がまやかしのように感じられ、どの手習いにも打ち込めなかった。普通にしか上達しなかったからかもしれない。今は世の中との関わりは世間を眺めることだけだ。

同じ会社にいた夫は会社ではそれなりに出世したが六十五歳であっけなく死んでしまった。脳梗塞だった。十二分に仕事をし、十分に好きな酒を飲み、幸せな死に方だったかもしれない。その日も（これが出来るからいいね）などと上機嫌で昼からビールを飲み、夜にも日本酒を飲んでいた。定年を控えた休日で、毎日が祝い気分だった気がする。夫の姉から健康の管理不足といった非難の目つきで見られたが、管理などと言うほどの事はしていなかったので、そう言われればそうかもしれない。夫の親族はその姉だけだったので寂しかったのだろうと、非難めいた目つきも気にしないことにした。夫の三年忌の時にはその目はだいぶ和らいでいた気がする。そればかりか、いろいろなことを忘れかけている様子だった。年の離れた姉で九十歳に近いはずだったから無理もない。

私は仕事を辞めてから人との付き合いが面倒になり、付き合いをあまりしなくなっていた。夫が死んでからはますますその傾向が強まった。毎日のやることと言ったら今までの人生を一ページずつ引きはがすかのように捨てることばかり。服を捨て食器を捨て手紙類を捨て土産物の置物を捨て、毎日たくさんのものを捨てている。

一人になって、それまでに捨てられないでいた物もどんどんと捨てられた。家が空になったら、家まで捨てたくなってしまい、家を売って街中の賃貸アパートに入った。そうすることで一人の自分を感じたかった気がする。残してあげようと思う子供がいなかったからかもしれない。土産を買って帰る人もいないひとりの生活に慣れたのは、夫が死んでから何年もたっていた。

鍵一つのアパート生活は独り住まいには合っている。引っ越しの知らせを省略したので年賀状もほとんど来ない。ひっそりと静かに世間から消えかかっている。親しくしていた友人ももう皆見送った。たいていのことはどうでもよくなっていた。アパートは街中にあるのに、遠くに秩父の山が見える日当たりのよい部屋で、その意味では快適な毎日だ。五年先は同じような毎日だろうと想像がつくけれど、十年先はどんな自分になっているのだろう。もうこの世にはいないのだろうか。

そんな事を思うと、またどんどん物を捨てたくなってくる。空っぽになりたい。リュック一つで世界中歩き回りどこででも行き倒れていい自由。そんな事をしかねない。普通に生きてきたのは嘘の自分だったかもしれないなんて思って笑ってしまう。普通は嫌いなんて粋がっていたこともあったが、普通にしか生きられなかったくせに。でも今は普通から少しずれているかもしれないなと思うと私の体の中にまたあの音が聞こえてきた。（カーン）という不思議な響き。響きとともに青い空が広がった。私の暗い坂道にあの時あった夏の空の青。

（三）

私は桂坂の近くにあるホテルのレストランの窓辺でぼんやりと夕暮れの街を行く人を眺めていた。反対側の窓からは庭園が見えている。ピアノの演奏が小さく聞こえていた。黒いドレスの女性が演奏している。秋の日暮れ時に合う心地よい静かな曲だ。静かだけど寂しくならず、浮き浮きもせず。食事時前のレストランだが程よい人がいて、隅には給仕がよい姿勢で立っていた。

今夜はここに泊まることにした。それまでこんな風に無計画に泊まったりすることはなかった。東京からは帰れる距離に住んでいるので東京に泊まるのは久しぶりのことだ。旅に出てどこか遠くの田舎に泊まるのと少し感触が違う。なんだか常ならぬことをしている気がして心が笑う。

何日泊まったっていい。一週間も泊まってみようか。芝居を見たり、散歩をしたり、なんだって出来る。スケッチブックを買って写生してもいい。（何だって出来るのよ）私は自分にけしかける。

軽やかな足取りで、走ってきたらしい中年のカップルがフロントに向かっていく。泊まり客らしい。どこを走ってきたのだろう。お壕まわりなのか荒川土手なのか。二人とも今風に白いスポーツ着で決めている。都心の高級ホテルに泊まってランニング。どんな人たちなのだろうか。普通の人たちに見えるけど。そんな事をしようと思ったことのない私。時代がどんどん走ってゆく。

風が木々の間をうねって通り過ぎ、大木がしなり、葉が群れになって舞い、地上近くで渦を巻いている。『風の又三郎』の出だしの風のようだ。（どっどど、どどうど、どどうど、どどう）と。あれは二百十日の風。木々のうねりを見ているとそんな風音が聞こえる。が、ここは都会の浅い森。木々はどんな音楽を奏でているのだろう。

小学校の校庭で見たあの映画は好きで、機会あるごとに何度も見た。大人になってからも書店で『風の又三郎』や『銀河鉄道の夜』を見かけると、つい、買ってしまう。そうすることで賢治の森を深く歩める気がして。

本だけはまだ捨てられない。どの部屋にも、我が物顔で鎮座ましましている。

一日中気持ちの良い秋晴れだったが、夕暮れになって嵐のような風が出てきた。昨夜も風が出たと道で銀杏を拾っていた婦人たちが話していた。

ホテルでの一人だけの秋の夕暮れなのだから、涙くらい出ても良さそうな気がするが涙も枯れたらしい。

私は冷たくなった紅茶をゆっくりと飲みほし、フロントに向かった。

眺めの良い部屋だった。澄んだ日には富士山も見えるという。闇が迫れば光の海になるだろう。あちこちの旅でそんな夜景も見た気がする。

山頂で落ちてくるような星空も眺めたことがある。あれは初めてキスというものをした夜だった。遠い昔のこと。山好きだった夫は結構ロマンティストで、キスをそんな夜のために取っておいたらしい。夫は思い出だけを残して消えた。夫の趣味の写真もほとんど捨てた。額に入っていた森の写真が何枚か残っている。雨の森を二人で歩いた時に撮った写真が私は一番気に入っていた。

あれは六月の森だ。雨の中を湯気のようなもやもやとした熱気をまきちらしながら行く夫の背中を眺めながら歩いていた。雨の中を燃えながら歩いた。濡れることなど少しも気にならなかったし、私も湯気を出していたに違いない。知り合って山に行くようになって三年もたっていたろうか。

思い出も私と共に消えてゆく。素敵な出来事だったのに、すでに忘れていることもたくさんあるだろう。

私は湯船に備え付けられていたハーブの中からラベンダーを選んで入れた。質の良い香りがする入浴剤。ホテルの売店で買ったレースの付いた下着を眺めた。浴室にあるアンティーク調のいすの上によく似合う。いつもの木綿の下着とは比べ物にならない優雅さ。こんな下着を買ったのは初めてだ。ホテルの売店にはそんな風な物しか売っていなかったのだ。若い時だってこんな飾っておきたいようなレースの付いた下着を買った覚えがない。グレーと紺色の模様のついたコートにあう、淡いピンク色のシルクのセーターも買った。白くなった髪にピンクはよく似合う。

私は湯船の中で目を閉じる。思い出さない様々なことは無かったことと同じ。何か思い出せるだろうか。

私は細川君に絵をもらった時のことを思い出した。私の横顔が描かれていた。よく似ていた。画家のアトリエでなく学校の廊下でカバンから取り出し、広げて私に差し出した。上手だろうといった顔つきだった。そう、校庭の桜が満開だった記憶がある。その時私はなぜかそれを急いで破り、ポケットに入れたのだった。細川君はびっくりした顔をしてくるりと背を向けて行ってしまった。嬉しかったはずなのにどうして破ったりしたのだろう。そうだ。満開の桜の花びらと同じ桜色に塗られた私の唇がなんだかいやらしかったのだ。それが許せなかったのだという気がする。

細川君はいじめられっ子だった。短めの半ズボンをいつも履いていた。服装が他の子たちとどことなく違っていた。お坊ちゃん風だったのだ。痩せて青白い顔つきをしていた。

体操は苦手のようだったが絵は上手だった。背はあまり高くなく、何時も伏し目で、控えめだった。いかにもいじめの対象になりそうな男の子だった。私も地方から転入し、方言を使うことでからかわれたが、私はいつもやり返した。体も大きかったせいか負けていなかった。私はいじめられる細川君をいつもかばっていた。正義の味方が好きだった。

細川君が絵をくれた前の日、私は仲間外れになって、屋上で大粒の涙をぽろぽろ流していたのを細川君に見られていた。勉強のできる数人の女の子たちが学校外で教えてもらっている先生のお見舞いに行くという。私は教えてもらっていないのだからお見舞いに誘われないのは当たり前なのだが私はそのグループと仲良しでいたかった。だからその見舞いにも参加したかったのに私には内緒でこそこそ行くらしいことが判り、私は屋上のベンチで声はあげなかったが大粒の涙をぽろぽろ膝に落とした。その涙のつぶのひとつひとつがとても大きかったのも想い出した。泣きながら、その涙のつぶの大きいことに驚いていた。その行為を細川君に見られ、翌日の似顔絵のプレゼントだったので私は余計に破りたくなったのだと思う。

本当にあったのだろうか。それからもっと色々なことがあった気がする。謝りたいようなこと、謝らせたいようなこと。忘れてしまっている沢山のこと。思い出せない何か大切なことがあったような。そういえば画家と皆で豊島園に行った時の写真があって、その写真には細川君と手をつないでいた私がいた。その写真を捨てた時、細川君のことを思い出していた私がいたのではなかったか。まったく思い出しもしなかったなんて思っていたのは違っていた。

細川君の母親に私の母がお茶を習っていた。父兄会に現れた細川くんの着物姿の母親は姿かたちが際立っていた。他の母親たちとはずいぶんと違って見えた。子供ながら見つめてしまうほど美人だった。何時も皆と離れて教室の隅にスーと立っていた。

母親がきれいだったからという理由ではないだろう、が、クラスも、お絵かきグループでも一緒だったから、私はいつも細川君のために戦っていた。黒子のことでは私も細川くんをからかったことがあるが、その黒子が何かの拍子に、日に光ることがあった。ただ黒子が艶々していただけなのだろうが私は不思議に思い、ますます細川くんを大切にしていた。

真っ白なやわらかい浴室用スリッパ。アパートに引っ越した時かなり思いきって買った私のタオルのガウンよりもっと柔らかく軽い白いガウン。高い部屋だけに置かれているものは高級品。空けておくよりはということだろうか、女一人でもすぐに泊めてくれた。

薄口のグラスでメルローを飲みながら、窓辺のクッションの心地よい椅子に深く沈み、ぼんやりと遠くの町の明かりを眺めた。

夢の裾のほんの一筋の糸をしっかりとつかみ、夢を少しずつ手繰りだし、思い出していくように、私は細川君のことを思い出し始めていた。次々と細川君とのシーンが浮かんでくる。あの手をつないだ写真は豊島園のウオーターシュートに乗った時のものだ。強いはずの私は初めて乗るウオーターシュートが怖かった。細川くんはどう思ったかは知らないが恋心で手をとったのではない。そうだろうか。隣に座ったことだけでも意味があったのかもしれない。私は隣の細川君のほうを向いて両手で細川くんの手を握っている。細川君は前を向いて笑っていた。あの写真は破って捨てたが私はしっかりとそれを記憶していた。このシーンは写真が残っていたから確かにあったことだけれど、記憶のどれだけ本当にあったことなのか。今、自分に思い浮かぶことが本当のことなのだ、と思おう。

中学校のクラスに義眼の男子がいた。何かのスポーツの選手で体格も良かったし頭もよかった。義眼の目をいつもぎょろつかせ、色黒で威圧的だった。私は正義の味方といった感じに癲癇を病んでいた男の子の隣に座らされ、その子のお世話係だった。私はよくお世話をしたと思うけど、その子に貸した鉛筆を返してもらうと、鉛筆が汗だろうか、ねとねとしていて気持ちが悪く、その子にわからないように捨ててしまった。すぐ後ろの席の義眼の男子が悪で私は正義という関係でクラス討論ではいつも二人は反対の意見だった。その義眼の男子が気になっていた。その義眼の男子が席から私の鉛筆を捨てた行為をじろりと見ていた。その時、私はその行為を見咎められたことで、(何が正義の味方か)と、一本とられた気がした。

私の胸は大きくなりかけていて、それがとても恥ずかしく、ブラジャーなど持っていなかったので、体育の時間がある日には胸にぐるぐるとガーゼを巻きつけ、胸の大きさを隠していた。

隣に住んでいた口のきけない女の子のことを長い詩にしたら国語の先生が個人指導をするから詩が書けたらいつでも持ってきなさいと言った。きれいな女の先生で短歌の世界で名前が取りざたされる才能のある歌人だと言われていた。母はその先生は〝赤〟だから個人指導してもらわないでよろしいと言った。転校したので自然とその先生との交流も無くなった。

仲良くなった女の子は、家族もろとも太鼓をたたいて念仏する新興宗教に熱心だった。私にはその姿はものめずらしく、違う世界を生きている人達に思えた。でも、その女の子とは親友になった。親友を持つのは初めてだった。親友なんていう意識を持ったのが初めてということだったかもしれない。

そして長塚節の『土』。時代や土地に縛られた人々の振り払えないやるせなさ。十三歳のぬくぬくと育った私に何がわかったというのだろうか。私は号泣したのだった。で、転校。今までに感じたことのないような気持ち、孤独のカケラの様なものを感じたのだろうか。そんなこんなで蹴った小石だった。細川君を蹴りたかったわけではない。いや、思い出せない何か、私の心から抹殺してしまった何かが細川君との間にあったのだろうか。私は不思議な響きの小石の音の余韻に浸りながら部屋のバーにあったワインを飲んでいた。

おいしい。価格表にはボトルで六千円とあった。普段飲むワインは高くてもせいぜいボトルで三千円。普通でない私がいる。

大都会の夜空の下のどこかで細川君は寒い思いをしているのだろうか。私は森の向こう、遠く、明かりに彩られた町を眺めていた。夢を見ているようだ。あの明かりの中で今この時間にも気の遠くなるような沢山の物語が紡がれている。私にはどんな役が似合うだろうか。何からも自由なこの時間。何にも繋がれていないこの空間。違うな。細川君への気持ち、細い糸のような繋がり。

いつかボトルは空になっていた。

(四)

モーニングコールを頼んでおいてよかった。いつもは四時には目が覚めるのに、八時になっていた。

昨夜の強い風が雨を呼んだのだろうか。静かな雨が降っていた。私は沢山の色の入った抽象模様の図柄の傘を買った。あてもなく角から角を曲がり気の向くままに歩く。日がさしてきて傘は杖になった。靴屋があったので、様々な色が点描風に塗られた運動靴を買って履き替え、古い靴は捨て、私は東京の街をすたすたと歩いた。暑くもなく寒くもない雨上がりの秋の街。

私の前を似たような格好をした人が歩いていた。同じようにときどき店のショウウインドウを眺めたりしている。が、足は止めない。おしゃれな帽子屋があった。帽子は興味がないようだ。少し前の靴屋の時より顔を早く前に向けた。女の人と思っていたらどうやら男らしい。口髭がある。とうに仕事から解放された人なのだろう。現役の仕事人には思えない。週日にふらふらしている。書店に入った。私も入ってみよう。何も急ぐことはないのだから。私はふと、(レモンを置くのかしら) なんてロマンチックな想像をしてしまった。そして『檸檬』の梶井基次郎や島木健作の著書を推めてくれた中学校の男の先生を想い出した。清水先生だ。名前まで覚えている。『土』の長塚節を思わせるような風貌で、あこがれた。

その人は特になにを探すといった様子ではなく、端から順にあれこれの本を手に取ってみている。時に表紙だけ見て時に奥付をしげしげと見たりしていた。私も同じように棚から棚へ移動する。いつか新聞の広告で見て買おうかなと思った百人一首の謎ときの本があった。私は手にとって目次を眺めた。目次だけ眺めてわかった気になり、買わない本がこの頃多い。

百人一首が好きだったけれど、(こんな謎ときがあるなんてね)。私はふと視線を感じて本から目を離すと、さきほどの男が私の右側にいた。男は私の左側にいるはずなのに、いつの間にか棚をぐるりと回ってきたらしい。私は本を買って店を出た。もしかしてと思ったらやっぱりその男が後ろを歩いていた。後先が逆になった。私は骨董屋のショウウインドウを眺めながら思案した。男も暇なのだろうか、同じショウウインドウを覗き込んでいる。

店は奥に長く、骨董屋にしてはきれいに品物が整理整頓されていた。こういう店はきっと少し高めに違いない。物をどんどん整理している時期だもの。買う気はさらさらないが目の保養といこう。真っ白な白髪をアップに結って、ロングスカートなどはいて店主として骨董屋の店先に座る姿の自分に憧れたりしたこともあった。白髪頭でも骨董屋なら許されるのではないか、と、思って。

私はふと小さい頃からの趣味を思い出した。気になる人がいるとその人の家を見に行く。まず家の周辺の家々を眺め、表札を眺めたり、生垣の隙間から縁側に並ぶ、干してある座布団の模様を眺めたり、もちろん目当ての家のたたずまいも少し離れて観察する。家に帰ればそれが地図のどこにあるのか確認する。そんなことが好きだった。そのことを人に話したりするわけでもなく、ただそうすることを一人で楽しんだ。今だとストーカー行為などと言われ、怪しげな事とされてしまうのだろうか。

それは小学校の時の同級生の国友君に始まっていた。国友君は近くの警察署の署長の息子だと聞いていたが、病気になって、よく学校を休んでいた。頭が身体に対して大きく感じられるほど痩せていた。ひょろひょろと青白い顔をしている、本好きな男の子だった。家にあった偉人伝などの本をよく借りに来た。勉強はクラスで一番だった。私は母の雑誌の付録のスタイルブックに男女の写真が載っていたりすると、そのうちの気に入った写真のそばに二人の名前を書き込んだりした。

バスの走っている通りから駄菓子屋があり風呂屋がある小さな路地を曲がった奥のまた細い路地を曲がったところにその家はあった。立派な木で造られた門柱に墨の字で書かれた大きな表札があった。いかにも警察署の署長さんの家の門だなと思ったのだった。石積みの塀に囲まれて中をうかがうことはできなかった。でもそこから、のちに映画の中で見たETにそっくりな国友君がふらふらと出てきても似合いそうな家だった。

以来何人もの家の探索をした。もちろん、だから小石を蹴った音を聞いた時よりずっと前に細川君の家はそこにあることをちゃんと知っていた。

小石を蹴った頃から六十年も生きてきたなんて不思議だ。子育てをしなかったせいだろうか時間が薄いベールのようでしっかりと掴めない。掴んでもするりと逃げてしまう。そんな時間は無かったかに、手ごたえがない。あれから六十年もの私の時間はどこへ行ったのだろうか。

暇そうな男は骨董屋の店主と話をしていた。男は浮浪者でもないし細川君でもない。私はつまらない時間を振り切るように店を出た。

いつの間にか台地の裾に戻っていた。

台地の裾に沿って桂川が流れている。桂川はあの頃と同じように埋め立てられることなく、水の流れを眺めることが出来た。川沿いは今は公園になっている。台地の裾をかこむような細長い公園だ。川沿いの若い木々も台地側の斜面の木々も、黄色に、オレンジ色に、明るく紅葉している。ほどよく間をとって置かれている木製のベンチもよく手入れされていた。

辺りはすっかり紅葉しているのに、見上げると、鬱蒼と葉を茂らせた木々で薄暗い神社の境内が公園から見える。その境内の横に、台地の上の桂通りにでる胸突き坂があった。そうだ。桂坂ではない。胸突き坂での事だったと、私は神社の木々を見上げ、唐突にあの時のことを思い出した。

あれは画家の蔵でのお絵かき塾からの帰り道での事だった。胸突き坂の横にある水神神社の境内に細川君が立っていた。いつもとはまるで違う、きりりとした横顔。

小石の音が夜半に夜空に響く半鐘のようにくりかえし聞こえた。

私は川沿いにある公園のベンチに腰を下ろした。

自販機で水を買いドクドクと流し込んだ。

そして、又、ベンチに戻った。

細川君が路上生活者になったとしたら、きっとあの時のせいなのだ。


夏草の茂る水神神社の境内に細川君が立っているのが見えた。上半身しか見えない。細川君はその時両手で胸のあたりにかなり大きな石を持って立っていた。細川くんの視線の先は夏草に遮られて見えない。それから細川君は急な水神神社の石段を駆け下り、橋の中央まで行くと欄干から手に持っていた石を捨てた。水の音が聞こえた。そして、ちらとこちらを向いたが、こちらには来ないで川沿いの道を細川君の家の方に行った。

私はその一連の行為を、初め神社の下の川沿いの道から見、次に家に戻るために上る胸突き坂を上りながら見ていた。細川君は私のほうをちらりと見たが、私を見たのかどうか私には判らなかった。私は細川君が川沿いの道を急ぎ足で行ってしまった後で、胸突き坂を駆け下り神社の入り口まで戻った。細川君のただならぬ様子に、神社の境内に何があるのだろうと知りたくて、赤い鳥居をくぐり神社の階段を上ろうとした。と、その時鳥居の横にある古い（見ざる言わざる聞かざる）の石像が目に入った。私は急に怖くなり、神社を出、胸突き坂を駆け上り家に帰った。

神社の入り口にどんな関係があるのか、古びた（見ざる言わざる聞かざる）の石の像があった。その石の像は猿のような、人のような。それは古く江戸時代に作られたと聞く。その由来を聞いたことがあった。その説が正しいものかどうか私は知らない。でも、胸突き坂を通るたび私はそのいわれを思い出していた。

私はその日の事を誰にも言わなかった。そしていつか忘れてしまっていた。

細川君は石で何をしたのだろうか。何か理由があってのことだろう。普段細川君は優しい子で、あんな大きな石など持ち上げるような男の子ではないのだ。そして石をわざわざ川に捨てる理由があったに違いない。

その後、何時も神社あたりで野良ネコと一緒にいた浮浪者を見かけなくなった。その浮浪者は子供に悪さをするという噂もあった。

胸突き坂は胸を突くと言う名前の由来どおり傾斜がきつい。幅が狭く、坂の両側から木々の枝が伸びて坂を覆っていた。暗く、その頃は街灯もなかった。

川沿いの道から見上げると水神神社の境内には、今もあの時のように木々が鬱蒼としていた。鳥居をくぐり石段を上りきると門のように両側に二本の大きな公孫樹の木があった。どちらも幹の直径は三メートルもあるだろう、樹齢千年とも言われていた。二本とも根が地上にあふれ出ている。一本の根は太い弦のように絡まって伸びているのに、もう一方はこぶだらけの根っこで土の上にごろごろと伸びていた。その二本の公孫樹の木には蔦がびっしりとからみついていた。晩秋なのにまだしっかりと葉をつけている。夏の緑ではないが黄緑色の葉を繁茂させていた。公孫樹ばかりかほかの木々も夏のように鬱蒼と葉を茂らせている。川沿いの公園の紅葉した長閑な空気と違った気配があった。境内の小さな空間は大木に囲まれて薄暗い。

その時何をしていたのか私は細川君に一度も尋ねた事がなかった。あれから半年ほどして小学校を卒業し、私は区立の中学校に進み絵画の塾にも行かなかったので細川君に会うこともなかった。

私はあの夏の小石の音に囚われてそれ以外のことをすっかりと忘れていた。

鳥居の横に鎮座している（見ざる言わざる聞かざる）の石の像は風雪にすっかり削られているがまだそれとわかる。像の上の方にある空間に彫られた文字はもう読む事は出来ない。像も猿と云うよりは子供のようにも見える。楕円の胴体の上に乗った丸い頭。細い手が左から口、目、耳を押さえているのがかろうじて判った。

胸突き坂には引っ越して以来来た事はなかったが、この鬱蒼とした水神神社があるために今でも薄気味悪い坂だ。胸突き坂を境に、水神神社の反対側の、台地の上の桂通りから台地の裾を流れる桂川まで広がる広い敷地は、その頃から製薬会社の社長の持ち物で、そちらからも塀を超え大木が胸突き坂にまで枝を伸ばしていた。胸突き坂を下り川を渡ると電車の走る商店街に続く道になっていた。画家の蔵は水上神社に隣接する川沿いの閑静な屋敷の中にあった。

その日は女の子どうしお喋りをしていて、細川君は一足先に帰ったのだった。細川君は川沿いに台地の裾をぐるりと回って帰ることが出来たが、私の家が胸突き坂を上った所の屋敷の中にあったので、一緒に帰る時は細川君はこの胸突き坂を上り、桂坂を下りた。

細川君は人生の終わりに浮浪者になってこの神社に帰ってくるに違いない。きっとそこで死にたいのだ。

「なにをしていたの」

と、あの時私が細川君を呼びとめていたら、二人とも違った人生を生きたのだろうか。望みだった波乱万丈の人生だったかも知れない。大変なことが起こっていたとしたら、私も共犯者になっていたのではないだろうか。なぜそうしなかったのだろうか。細川君のあの時のただならぬ気配。

私は思い出した事の大きさに落ち着かず、公園のベンチと神社の境内を行ったり来たりしていた。

何が正義の味方だろう。肝心な時に（見ざる言わざる聞かざる）なんて。

転校して私は変わった。お転婆な正義の味方ではなくなった。（あなたは皆の為に物を言える人だ）なんて小学校の卒業の時のサイン帳に担任が書いてくれたのに。中学校を転校してからは発言の少ない本好きの架空の世界に遊ぶ内向的な少女に変わった。

いつもうつむいてばかりいた優しい細川君は一人で何かと戦っていたのか。いまも心の中で戦っているのかもしれない。

激しく聞こえていた小石の音は次第に遠去り、今、あの時足元に戻ってきた時のカラ、コロ、カラ、コロと、間の抜けた音になっている。

私はあの壁にぶつかって響いた小石の音を、もう聞く事は無いだろう。あれは私が普通に生きるための魔法の音だった。

私は公園を出て水神神社の石段を上った。夕日はもう境内には届かない。鳥居をくぐり階段を上り終わった所の二本の公孫樹の大木や、境内の周りの木々や草藪で境内は暗い。空を見上げても地下に続く穴をのぞいているようだ。

私はまた、とぼとぼとあの山の見えるアパートに戻り、静かに、物を捨てる毎日を送るのだろうか。否、そんな毎日はもう来ない。

時間の彼方に沈んでいる物を掬ってみなくても、見たい者には目を凝らせば透けて見えるに違いない。

細川君は気持ちの整理をしたいのだ。そして、すべてを捨てて身一つになり、ここに戻ってくるに違いない。ここで夕日を見ながら座っているのだろうか。そんな細川君に出会ってしまったら、私はもうアパートには戻れない。

体が妙に静かだ。静まりかえっている。

少し普通でなくなった私は薄暗くなり足元のおぼつかない神社の石段を下り、ぼうっと黒い影のように見える石の像を眺め、神社を出て胸突き坂をゆっくりと上った。

踏みつけられて壊れてゆく落葉の音に時おり交じる、小枝の折れるポキッという音。潔ぎ良く土に還ってゆく音だ。

胸突き坂を上りきり、昔のままに残っているあの頃の住まいの横を通り、駅に向かった。

夕暮の街に、私の後ろ姿もきっと（しぐれて）いる。

逃げ水

大王松に登る人

市立図書館の入り口に小さなカフェがある。

カフェは図書館の中庭に面していて、晴れた日は中庭のテーブルは賑やかに談笑する人々でいっぱいになる。なかでも遊歩道寄りの桜の大木の木陰にあるベンチが人気だ。白く塗られた鉄製のテーブルと椅子は市立図書館のモダンなコンクリートの建物とよくあっていた。

「あの人よ。コーヒー飲んでいる人。満月の夜に、庭の大木に登って何やら怪しげな事つぶやいているという人」

柳沢夫人が肩で示した方向を見て、久恵は何故か、すぐに、その噂の主がパクさんだとわかった。そして、サンドイッチの中身を少しこぼしながら、でも、

「ああ、あの、木に登る人ね」

と、さりげなく言った。

パクさんは（ぬうっと）何か空気を突き破って現れたかにそこにいた。今までずうっといたのに気がつかなかったというのでもなく、あたりに馴染んでいないというのでもない

けれど、久恵にはパクさんのその出現がとても唐突に思えた。そして、その怪しげな行動についての噂は久恵も聞いた事がある。が、その噂の主がパクさんであることに驚いた。

久恵はめったな事では物に動じない年になっていたし、ポーカーフェイスなのだが、少し慌てていた。柳沢夫人がコーヒーカップを優雅な手つきで口元に運びながら、その桜色に塗られた口元を少し曲げ、いぶかしげな視線を久恵に向けていた。

こぼれ落ちたレタスとトマトの切れ端を始末しながら、久恵はその噂の主にそっと視線を走らせた。パクさんは中庭の人気のベンチを一人で占領し、テーブルにはカップとサンドイッチの皿があった。カフェのメニュウはシンプルだ。パン類と飲み物しかない。似たようなものを食べている。パクさんの物だろう、ベンチには生成りのキャンバス地で作られた丈夫そうな縦長のバッグが他の人が座るのを拒否するように、行儀悪く一人分のスペースをふさいで置かれていた。

久恵は静かな室内のテーブルから外のベンチで賑やかに談笑する人々をぼんやりと眺めるのが好きだ。何時間でも眺めていることがあった。映画を見ているようだ。ガラスを隔てて向こう側で人々が様々な物語を演じている。

が、画面にパクさんが居る。久恵の心臓はドッキン、ドッキンと大きく波打っていた。

黒い丸いメガネ。なんだかネズミに似ている細い顔。間違いない。あれは大学時代一緒に自治会活動をしたことのあるパクさんだ。

一年前にこの街に越してきて、親から遺された豪邸に一人で住んでいるという。地区の班の役員が自治会の説明をしに訪ねたところ、そっけなく入るのを拒否したという。入ることを強制は出来ない。入らない人も結構いるらしい。パクさんの場合、自治会に入らないということで話題になっているのではなく、その豪邸の広い庭にある大王松の大木に登る事で話題になっている。

知り合いだとは言いたくない雰囲気でその噂は囁かれていた。

どう過ごしてきたのだろう。何をしていたのだろうか。あの頃のパクさんは久恵のような一般学生とは違って、少し年をとっているようでもあり、如何にも政治組織に入っている人という感じの（バリバリ）の活動家だった。

木の上で何をしているのだろう。

自分の庭に大木があれば、久恵もツリーハウスをつくったり、ブランコを下げたりするだろうし、登るかもしれない。きっと登る。子供の頃には桑の木にも柿の木にも学校の銀杏の木にも登った。落ちたこともあった。パクさんの場合、歌っているのか、念じているのか、その大王松のてっぺんから怪しげな声がしてくるのだと言う。

高い所に登ったら、自然と声も出る。黙っているほうが怖い。山頂で（ヤホー）などと叫ぶではないか。高原の森を歩く時など大声で歌を歌うではないか。

パクさんの家の庭は里山の森のような広さだ。が、いくら森のように広くても住宅街でのそういう行動は噂になるようだ。別にパクさんをかばう義理はないが、久恵は噂する人より、木に登る人、木の上で何やら声を出す人の方に親近感を覚えるのだった。登ると言われている木は大王松という種類の松の木らしい。

長く細い葉が垂れ下がる大王松の木は仙人のような風格がある。パクさんと仙人、大王松と少しおかしいのではと噂される人。何だかお尻がむずむずとしてきた。薄紫色に春化粧し始めた山を眺める時のような落ちつかない気分になってきた。

思えば、あの頃からもう半世紀以上。その間パクさんの消息を一度も聞いた事がなかった。思い出す事もなかった。その頃のパクさんは政治一筋と云う風に見えたが、今は、噂によると一人だけの世界、あちらの世界を生きているらしい。

「昼間はね、ほとんどの部屋の雨戸が閉まっているらしいわ。あれだけ大きな家だと雨戸の開け閉めも一労働でしょうネ」

と、柳沢夫人は自分とはまるで関わりのない世界の人といった感じに唇の端を微妙に曲げて、尻上がりの調子にコメントした。

国家公務員を退職した柳沢夫人の夫はゴルフに興じ、夫人は趣味の声楽のクラブではプロ並みと、この辺りでは一目置かれている。子供はとうに巣立ち、質素だが何処から見ても確かな暮らしをしている。そんな夫人にとっては、怪しげなパクさんの事など口にするのも（チョット）と言うことなのだろうか。久恵には話すときの夫人の唇の曲がり具合でそんな風に感じられた。

夫人の頭の中では、久恵もよくわからない人の部類に入れられている気がする。近所だし、たまたま互いの娘の小学校時代同じ登校班だったので、会えば会釈をする程度の顔見知り。付き合いというほどの付き合いは無い。めったに会うこともなかったし、図書館のカフェでお茶をする事などもなかった。

その日の夫人はダンスにでも行くような、白いよそゆきの服を着ていた。聞けば病院の帰りだと言う。病院にも図書館にもとても場違いな服装。でもその白い服は夫人によく似合っていた。場違いな服装は久恵の専売特許なのにと思いながら、親しげに声をかけてきた夫人をひとしきり褒め称えたのだった。久恵はこの頃では他人の服装の事などあまり気にしなくなっていたが、それくらいの気遣いはできる。夫人はその賞讃によい気分になり、お茶などする気になったに違いないが、久恵はそういう付き合いには慣れていなかったので少し緊張していた。そこにパクさんの出現である。

「毎日、何をしているのかしらね」

久恵は気分を整えなおして聞いてみる。

「本を読んでいるらしい。本屋さんでよく見かける人がいてね、いつも袋いっぱい、本を買っているらしいわ」

その本好きな夫人の友人が羨ましそうに言っていたという。柳沢夫人の口調も少し羨ましそうだ。年金暮らしになると、本を好きなだけ買うなんていう贅沢はめったに出来ない。

「学者さんかもね。在野の。何か研究のための事なのかもしれない。その大王松に登るの」

ちょっと無理かなと思いながら言ってみた。

柳沢夫人はやはり、

「ウフッ」

と笑って、何言っているの、という顔をした。久恵はさりげなくコーヒーを飲んだ。


パクさんの本名は山本幸雄という。が、本名で呼ばれる事はまれだった。教務主任の谷川教授が授業に出席しないパクさんの単位を心配して、

「山本幸雄はいないかね」

と、親しげにその名を呼び捨てにして、自治会室にパクさんを探しにやって来る事があったが、パクさんの本名はそんな時くらいしか聞いたことがなかった。

パクさんの本名を呼ぶ教授の親しげな様子に、スパイ映画が大好きだった久恵は、（うむ、パクさんは教授側のスパイかも）、なんてうがった考えをしたことがあった。

教授はいつも、それがエチケットとでも言うように、自治会室には入らずに、入り口から顔を覗かせ、パクさんを探した。自治会室の中に入ったりしたら、早速、アジビラに

（谷川教授自治会室をスパイする）なんて書かれるかもしれないことを知っている。なかなか用心深い。

教授が入り口に姿を現したら、キイッと睨んで入室を暗に拒否するのは、そのころ自治会室に居る事の多かった久恵の仕事だった。

ある夕方、薄暗い自治会室への通路で、教授とパクさんが何やらひそひそと話しているではないか。（やはり怪しい二人）と、どきどきしながら盗み聞きをした。当然の任務である。スパイ映画の主役にはなれないまでも脇役ぐらいやれるかもしれないなどと思いながら、耳をそばだてていると、しかし、話の内容は予想とはまったく違ったものだった。

どうやらパクさんが自治会側に、あるいはパクさんに必要な何かを盗み見るために、教務室の鍵をこじ開けて入り込んだのを誰かに見られ、告げ口されたらしい。パクさんのパクさんたる面目躍如たるその内容にすこし複雑な気分だった。

パクさんは人の物と自分のものを区別しない。あたりにあるものをヒョイと自分の風呂敷に入れ、自分の物にしてしまうのである。その行為をその頃（パクる）なんて言っていた。それでパクさんと呼ばれるようになったのだった。

他とは違った価値観を生きていたのかもしれない。持ち主が抗議すると素直に返す。手ぐせが悪いと言うのでもなさそうだった。自治会室以外ではそんな事はしないらしい確信犯。自治会室に入り浸りだったパクさんは自治会室と自分の部屋の区別がつかなかったのかどうか。

その頃パクさんは風呂敷を使っていて、風呂敷には所有を明記する名前がちゃっかり入っていた。大学で風呂敷を使っている人は他に見かけなかったし、風呂敷に教科書を入れて持ち歩くのは高校の時の古文の先生以来だったので久恵は印象深く、覚えていた。

その古文の先生は見かけはいたって普通のおじさんなのだが、美少年が好みだという噂だった。美少年を好む人は本人もハンサムな人という思い込みが久恵にはあったので古文の先生があまりさえない普通の小柄なおじさんなのが意外な気がしたのだった。

古文の時間になるとクラス一の美少年が教務員室まで先生を迎えに行き、先生の教科書の入った風呂敷包みを恭しく持ち、まじめな顔つきで先生に従い、しずしずと教室に入ってくる。生徒は全員起立して迎え、美少年はなんだか恥ずかしそうに俯いて一番前の自分の席に着く。で、全員で礼をして着席する。それが授業の始まる一種の儀式みたいなもので、他のクラスはどうだったか知らないが、古文の授業はそのようにして始まった。久恵はその一連の様子を見るのが好きで、古文の授業を楽しみにしていたものだった。

そのころは考えもしなかったが、あれはその美少年に対するいじめではなかったのだろうか。高校生だから美少年ではなく、美青年だろうけれど、その生徒はしかし、嫌がっている風でもなく、シスターボーイなどと呼ばれ、にこにこしていた。その古文の先生はさる高名な国文学者の一番弟子で、そのように恭しくしていないと授業をしてくれないということだった。美青年がいないクラスは無かったのだろうか。久恵のクラスの美青年はピカ一だったが、ほかのクラスに応援に行っていた気配はなかったが。

そんなわけで久恵は古文の時間が好きだったせいか、大学受験のために行った有名な予備校で、古文の試験で良い成績を取った人の名前が貼り出されるのだが、そこに久恵の名前があったことがあった。久恵が通っていた高校から行っている生徒でも名前が貼り出される生徒はめったに居ないため、その時は皆に（ヘイ、ヘイ、なんのまぐれか）などとからかわれたことがあった。名前が貼り出されたのはその時一度だけだったが、ひとえに美青年と古文の先生のパフォーマンスのおかげだったと思っている。

パクさんのパクる物はたいてい古本屋でお金に換えられる本なのだが、時には万年筆であったり、オーバーコートであったり、お弁当であったりした。だから自治会室で何かなくなれば、鉛筆一本でもパクさんだろうと言われた。

が、誰も警察に訴えたりはしない。自治会室には何か世間とは違う法律が働いていた。パクさんに食べられるのを承知で置いてある弁当もよくあった。母性本能をくすぐるところがあったのかもしれない。

無くなった物が高額だと、

「パク公の下宿だ」

と、パクさんがお金に換えないうちにとり返そうと、探しに走る。大学の裏門から歩いて三分ほどの所にあるパクさんの下宿の部屋には鍵などかかっていない。パクさんが寝ていようが食事していようがお構いなく、パクさんを急襲する。パクさんも勿論、気にしない。

だから、なくなって困る物はしっかりとかばんの中に入れておく。パクさんはかばんを開けてまで他人の物をいただいたりはしなかった。が、自治会室の事情を知らない人もたまには居るし、忘れると言う事もある。久恵も大切にしていた埴谷雄高の本『虚空』を置き忘れたことがあった。気がついた時にはもう無い。まだ読みかけだったし、気に入っている本なのである。古本屋に売られる前にどうしてもとり返したかった。

自治会室でパクさんを待っていると、

「おおう」

と、パクさんが現れた。

ひょろりとした、心もとない感じの細い身体。百八十センチほどはあるだろうか。なんだかゆらゆらと、体が風に吹かれて揺れているように見える歩き方をする。おどけたネズミのような顔。学生服などでなくいつも白いシャツに黒い背広だ。よれよれだけど、きっとこれもパクッた物に違いない。このほか白っぽいレインコートを持っていた。不潔な臭いはしない。きっと洗濯はこまめにしているのだろう。

久恵はその抱えている紫色の風呂敷包みを眺めた。風呂敷包みをとく手元をしっかりと睨んでいたが、出てきた物はしかし、ビラの束だけだった。

パクさんは手元を見つめられているのに気がついて、顔を少し赤らめ、

(なにか)

と、言った目つきをした。

パクさんはアジる時以外は言葉が少ない。よおっ、とか、おうっ、とか感嘆詞ふうの音を出すだけで済ませてしまう。それに、女の子と話すときはいつも青白いほほを少し赤らめ、はにかんだような表情をする。なんだか自治会の委員長らしくない。

おにぎりを三十個も握ってきて皆に振るまったりする、自治会のボス的な存在の紀子が何時か、

「パク公みたいな男とでも寝てみたい、なんて思う時もあるよ」

と、パクさんに面と向かって言った時もこんな風にはにかんでいた。久恵はその(寝る)なんて言う言葉を聞くだけで恥ずかしい年頃だったので、そのときの情景をよく覚えていた。久恵のほうがパクさんより顔を赤くしていたかもしれない。

「本返してください。埴谷の『虚空』。パクさんでしょう。まだ読みかけだし、あの本は永久保存したいのよ」

帰りかけたパクさんを呼び止めた。

「ああ、あれ広田さんの物か」

「名前書いた紙、あったでしょう。汚れるから本には名前書かないけど、パクさんの風呂敷に見習ってちゃんと所有権を明記しておいたつもりなの」

少しきつく言った。

パクさんは少し甘やかされていると思っていた。どうもこの風采の上がらない男が自治会の委員長というのが面白くない。委員長などというものはもっとカッコ良くて、男でも女でも良いから見るだけでどきどきするような人になってほしいものである。そうすれば自治会室ももっと明るくなり、自治会に参加する人も増えるだろうと思う。もちろんこんな事は口にしない。口にしたら、待っていましたとばかりに、そういう問題ではないと総括反省を求められ、つるし上げられるだろう。本当はそういう問題大いにありと、思うのだが。

ある時、パクさんに本をパクられた人がパクさんの風呂敷包みを開け、

「誰の物か判っている風呂敷包みから物を取り出すのって何だか罪悪感があるな」

なんて言いながら、そこに居合わせた久恵に、

「これでおあいこ。これ僕の昼飯代」

と言いながらトロキー全集の一冊を持っていった事があった。

「泥棒」

と、意地悪を言ってみたが気にかけている様子は無かった。

パクさんは自分の持ち物は無防備に自治会室に置いておく。皆を信じているらしい。あるいは必要な人はどうぞお持ちくださいと言うことなのか。戻ってきたパクさんは開けられている風呂敷包みを見て、

「へへーっ」

と、笑っただけだった。

取り戻したのか、どこかで調達したのか聞きそびれたが、パクさんは翌日同じ本を読んでいた。

一週間たっても久恵の本は戻ってこなかった。

久恵は思いきってパクさんの下宿を訪れた。それまで男の人の下宿など訪れた事がなかったので勇気が必要だったが、待つのも一週間が限度だ。これ以上待てない。早く読みたいのである。古本屋で探してやっと買った大切な本、売られては困る。

部屋は机があるだけの四畳半。何もない。風を通すためだろうか、開けたままの押入れに蒲団はきちんと片付けられていた。そのころはまだそんな言葉は流行っていなかったが、貧乏学生はみな物が持てないという意味で、清貧の生活を余儀なくさせられていた。

北向きの窓辺の古い机に『虚空』はあった。他にも何冊か読んでいるらしい本が積み上げられていた。人の部屋に無断で入って何だか落ちつかない。置手紙をしようか。こそ泥

ではないぞ。自分の本を取りに来ただけだ。

「よお」

ひっそりと音も立てず、パクさんが戻ってきた。久恵は悪い事をしていて見つかったように驚き、慌ててきっと顔を赤くしていた。

「『虚空』、返してもらったわ」

「ああ」

パクさんは慌てて帰ろうとする久恵の前に立ちふさがって、顔を覗きこんだ。

「えっ」

帰ろうとする久恵を目と体で引き止めていた。

自治会室では見ることのなかったそのパクさんの情熱的な目つきにうろたえた。紀子の（寝たいと思う）という言葉が頭のなかに浮かんだ。ここも自治会室の延長線上にあるらしい。世の常識とは違ったモラルが通用しているのだろうか。

正義感から自治会に参加していたけど、（既成のモラルを破壊せよ）なんていうところまで久恵の意識は改革されていない、いたって常識的な娘だったから、好きでもない人とそんな事にはならないのだった。でも、クラス討論会などで話し出すと説得力のあるパクさんなのである。長い時間二人だけでその部屋にいたら、説得されて既成のモラルを捨てる事になったかもしれない。久恵は逃げるようにパクさんの部屋を後にしたのだった。

パクさんはいつのまにか学部の自治会委員長になっていた。六十年安保闘争と云うと人は（わあ、幽霊が出た）とか茶化すけれど、その六十年安保闘争の年だったから、頻繁にクラス討論なるものが開かれ、大学中がストだ、デモだと沸いていた。

ジャンヌ・ダルクにあこがれていたし、スパイ映画が大好きだった久恵は、すぐにクラス討論でパクさんのアジテーションにのせられた。そして正義感と一途な気性を見こまれ『共産党宣言』の学習会に誘われ、やがてクラス委員になった。

が、デモが激しくなるにつれ、心配する母親の涙と、わずか千円に買収され、学習会や自治会活動は良いが危険なデモだけには行かない約束をさせられた。危険か危険でないかの判断は久恵のもの。以後は親に心配かけないような言い方を学んだ気がする。

世の中が挫折、挫折と暗くなっている時、人の言う挫折感などはなく、久恵にあったのは気持ちが高揚した後の、ほっとした疲れだけだった。千円で買収されるような女の子が参加していたのである。そんなに簡単に世の中は変わらない。それとも何か変わったのだろうか。

社会、あるいは歴史を自分の行動で変えうるかもしれない、こんな自分でも社会の一単位なのだと、実感出来た。そういう自分の意志表明のために社会参加したことに悔いはなかった。

あの安保闘争の高揚した後の夏は、人は皆ひどく挫折というものをしているらしく、学習会も自治会活動もなかった。

が、閑散としている夏休みの構内を散歩していると、パクさんと他に二、三人の人たちが自治会室にいた。秋の自治会活動用の資料を作っているのだという。その人たちが挫折しなかったのかどうかは知らないが、打ちひしがれていない仲間に出会って、久恵はなんだか嬉しかった記憶がある。

後に、パクさんと二人で真っ暗な川崎の工場街でポスター貼りをしたことがあった。糊の入ったバケツを持ったパクさんの後についてポスターを抱え歩いていたが、その重みで遅れがちになり、パクさんの姿がまるで見えなくなった。街灯のない町での深夜の事である。足元も見えない真っ暗な闇の中で久恵は動けなくなってしまった。

しばらくすると、

「おーい」

と、糊の入ったバケツのピチャピチャという音をさせ、パクさんが、

「すぐ後ろに居ると思っていたのに」

と、駆け戻って、息を切らせていた。

久恵は緊張からか思わず笑った。

中学生の時だった。下り坂になった細いあぜ道を自転車で走っていた時、こちらに向かって軽三輪車が向かってくるではないか。のろのろとやって来るが避けられない。避け

るには田んぼに転げ落ちるしかない。でも田んぼに落ちるのは嫌だった。正面衝突した。どちらものろのろ運転だったから大事には至らなかったけれど、その時も久恵は大笑いしてしまった。緊張が過ぎると笑いだすタイプらしい。

パクさんもつられて笑った。真っ暗な工場街で、二人で大笑いした。バケツの中の糊がこぼれそうな音を立てていた。

久恵はその時、皆がパク公パク公と悪態をつきながらも、パクさんを許している何かに触れた気がした。

久恵は地方都市の豪邸に住み、満月の夜に大王松に登ってなにやら呟いていると云う噂のパクさんが気になったが、悠然と、あたりを気にせずコーヒーを飲みながら本を読むパクさんをカフェに残し、柳沢夫人と席を立った。

図書館族

図書館族と言われている人たちがいる。

「ああ、あの人図書館族だから、図書館に行ったら会えるわよ」

スーパーでそんな会話を耳にした。どうやら久恵もその仲間。

毎日学校に通うように図書館通いする人。本中毒の人とか家に居場所のない定年になった、読書以外これといった趣味のない男子。子育ての終わった、よる辺無い主婦。世の中を卒業したと言えば聞こえはよいが、この世では影の薄い人たち。

本を一心に読んでいる人、ぼんやりと窓の外を眺めている人、ゆったりとした椅子に陣取って新聞を丁寧に読んでいる人など、図書館族も色々。

群れて何かをするわけでもないのだから、なにも図書館族などと言われるほどの存在ではないと思うのだが、近隣では図書館通いをする人たちをそんな風に言っている。どうやら、普通の人々とは少し違う何らかの雰囲気があるらしい。差別とは違うのだが、そんな名前をつけて、自分たちとは区別したいらしい。

なにを生み出すわけでなく、仲間たちと楽しくわいわいするわけでもなく、ただ本を読む人たちを、(チョットね)と、遠目で眺めている感じだ。パクさんもその仲間に加わったらしい。それなら一層(チョットね)だろう。

それまで図書館にいる人を気にした事も無かったが、書棚の本を眺めながら、ちらっちらっと目をやると、どうも衣類には頓着しない人たちのようだ。女も男もなく、どれも薄暗い影色の服装の人ばかり。古い本の並んだ書棚の間をうろつくには似合う色。

書棚の間で人とすれ違っても、汗の臭いとか香水の香りは感じることはあっても、目はつねに書棚の本の背表紙の文字に向かっているので、すれ違った人の姿形は目にはいっていない。顔見知りがまったく同じ時間帯に館内にいたのに、気がつかないで、後から（そうだったの）、という事もしばしばだった。人は柱や机と同じで、見えていても見ていない。人を気にしていないから声をかけることもない。

もっとも、人からは声をかけにくい雰囲気が久恵にはあるのかもしれない。それは多分服装のせいだ。久恵には普段着がない。どこへ行くにも高級レストランに食事をしに行くような格好をしている。流行からは外れているに違いないが質は良いし似合っていると思っている。定年になった時、仕事着はばっさりと捨てた。今はよそ行きの服とパジャマしかない。どんどん物を処分しなければならない年になって、服など買い足すというバカなことはしないと心に決めていた。好きな服は高いし、新しい服を買う余裕がないだけの事でもある。

「すごいわね」

などと、スーパーマーケットでヒソヒソと囁かれる事もあった。が、褒めてくれたと思って気にしない。久恵はもともと人のことがあまり気にならない性格だが、年とともにその傾向は強まってきたようだ。働いている時は他人付き合いをうまくやるのも給料のうちと云われていたのでそれなりに気を遣ったが、今はもうさっぱりしたものだ。自分にだけ気を遣う。

同じ所に四十年近くも住んでいるのに、今は近所付き合いも友達付き合いもあまりない。なんだか自然とそうなった。

久恵は軽く浅くという付き合いが苦手だ。付き合うならとことん。絶対の愛情と忠誠をつくす。要求もする。それが出来なければ付き合えない。だから、結婚し娘も一人いたのだが、今は一人。夫との付き合いも面倒になった。嫉妬したりされたり憎んだりするより一人の方がいい。もっとも、そういう事を通して人は成長するらしいので、久恵はその意味で成長が出来ていないかもしれない、と思う事もあった。他人は（少しへん、変わっている）と、あまり近づいて来ないのも知っていた。

久恵は人との付き合いは面倒と思う。それより本を読んでいる方が性に合う。付き合いたいと思う人が居ないだけだったのかもしれない。

で、定年以後は久恵も立派な図書館族。運動も兼ね、ほとんど毎日リュックを背負い、遊歩道を歩いて三十分ほどの距離に在る図書館に通っている。図書館族などという言葉を聞くまでは意識した事は無かったが、ただいま他に何にも属していない久恵には格好の属する場所である。

この街は人口わずか三十万人の、小さな細長い街で、街の真ん中を背骨のように南北に遊歩道が走り、その遊歩道の右に左に緑豊かな公園が幾つもある。人々は車に頼っているのか、忙しいのか、週末以外は遊歩道ではあまり人を見かけない。並木の木々もこの四十年でずいぶんと大きくなり森の中を歩いているようだ。

こんな人口の少ない街なのに本屋と古本屋は多かった。以前、ぶ厚い黄色い電話帳なるものがあった頃、調べたことがあるが、よく行く本屋は六軒だが電話帳には十七軒も載っていた。古本屋も十四軒もあるらしい。が、今はもう、半分もない。廃業してしまった。図書館は分室を入れると五館もあった。本好きが多いということか。道巾も広いし、外国のようだと人は言う。

図書館通いをする人を、図書館族などと呼んで（チョット）などと言っている人達はきっと、この本に囲まれて読書する醍醐味を知らないのだろう。

一冊読み終わってもまだまだいくらでも本はあり、安心して本を読み終えられる。疑問があれば、すぐにそれを解決する本を探す事が出来る。図書館司書という秘書の役割をしてくれる人もいるし、注文しそれが認められれば、一人、月三冊まで、本を買ってもくれるすばらしいシステムもある。どういう基準になっているのか、買ってくれないこともあった。そういう時は他の図書館から取り寄せてくれる。こんな素敵な場所は他にない。王様になった気分。

でも世間的には単に活字中毒者。なんの中毒であれ、中毒の人は、人とは違う何らかの怪しげな、あまり好ましくない匂いを放っているのかもしれない。この本好きと、その他と区別されるところは何。本好きを観察しなくては。テーマごとの観察ノートが久恵のリュックの中にまた増える。

あれ、何も人を観察しなくても自分を見つめればいい事かしら、久恵はクスクスと声を出して笑った。すると隣の席の男が薄黄緑色の花飾りのついた帽子をかぶった久恵を見ながら、席を立った。怖かったのだろうか。久恵は本から目を離し、手鏡を覗く。ちょっと口をつぼめたノーメイクの澄まし顔。寝ているのか、斜め後ろの席の顔は机にくっつきそうだ。

そう言えば、本も読まずに、朝早くからお出ましになり、机にただ向かっているだけの人もいた。何か深遠な哲学をしているのかあるいは俳句でもひねり出そうとしているのかと思っていたが、もしや、相棒にテレパシーでコンタクトしている最中だったりして。満月の夜に大王松の上で何やらつぶやいているパクさんもその仲間に加わったのである。本を読む楽しみに加えて、図書館族の秘密を探る楽しみもできて久恵は日々忙しい。

本好きは図書館に通うだけではない。本屋にも古本屋にもせっせと通う。枕もとには、古書通信など何種類か置いてあり、手に入れたい本に鉛筆でしるしをつけたりしながら眠りに入る。夢はきっと探していた本がついに見つかって歓喜している夢か。あるいはやっと書棚に見つけた読みたい本を取り出そうとすると、さっと他の手が伸び抜き取られてしまい悔しがっている夢か。

世の中に生きる事より、本の中に生きている時間のほうが長く、そう言う意味では久恵も確かにうさんくさい。

時代を幾つも飛んで、玄宗皇帝に恋し、長恨歌に浸り、恋心を味わい、ピカソの画集を見ていて、いきなり、ノートを破ってしわを作りその上にピカソの絵をなぞり写せば、（これ、ピカソを超えていない？）とにんまりとしたりする。また或る時は高原の花になり、おいしい空気と日の光を楽しみ、鯨になって水中を自在に泳ぐ。土の中だって自由に歩き回った事もある。あれは何に変身したのだったか。水だったか微生物だったか、自作自演の世界で遊んでいる。

満月の夜に、大王松の上で、何やらつぶやいていると言うパクさんのほうがまだ現実を生きていると言うべきだろうか。

街の三狂人

ある日、パクさんの家を偵察に行った。遊歩道から外れ、久恵のアパートから歩いて二十分ほどの距離だ。パクさんの家はこのあたりでは際立っている。お寺のように大きい。昔は他の家と同様に畑や栗林に囲まれた普通の農家だったというが、あたりに国の施策で新しい町が作られたとき、土地を売ったお金で家を建て替え、隣接する土地をスーパーマーケットに貸し、農業は廃業したと聞く。

道路から一メートルほど高くなった広い敷地の中ほどに二階建ての家がある。敷地は普通の住宅が二十軒は建つ広さ。庭にはうっそうと木々が茂っている。門と塀だけで何軒もの家が建つと噂されている立派な塀に囲まれ、中の様子はよくわからないが、時代劇の映画に出てくる大名屋敷の門のような立派な木製の門は開かれていた。屋根の一番高い所は、北隣に立っている六階建てのアパートの四階くらいの高さがある。このアパートもパクさんの持ち物と聞いた。

パクさんの家は外観だけでも、(なんなの、この家)と言う感じに、周辺の新興住宅地の家とは家の作りが違う。一見、大きなお寺のよう。それに、満月の夜に主が大王松に登るとあっては、保守的な新興住宅地の人々に宇宙人でも現れたかに話題を提供したのだった。

公務員や研究員などの多いこの町の住人は、他と違う事の嫌いな人が多いらしい。ちょっと他と違う人たちが居ると(街の三奇人)(街の三馬鹿)と噂する。

動物が好きなんだろう。獣医さんが馬を飼っていて、時々裏道を走らせるだけで、この街では三奇人の一人に入れられてしまう。働いていた頃の社員の一人に動物好きがいた。腕に蚊が止まっても、殺さずにじっと血を吸わせてあげるか、そっとコップと紙を使って生け捕りにして外に逃がしてあげるという人も奇人の一人に加えられていた。ジャコメッティの彫刻の人のように痩せていた。蚊も殺さないで何を食べるのだろうか。ある時、ベランダの花鉢に毛虫がぞろぞろしているのにびっくりして殺虫剤で全滅させた事を、ついうっかり話したら、毛虫の苦しさを感じたのだろうか、とてもつらそうな顔つきをしたので、久恵もなんだか大殺戮者になった気がしたものだった。

そんな久恵でも、人が食べるために動物を育てる残酷さに吐き気がする事も在るのだが、稲や麦から（私達はどうしてくれるのさ）という声も聞こえてくる。

このごろでは、年をとったせいか、虫でも花でも、なるべく殺したくないと思っている。けれど、蚊の羽音が聞こえたりすると反射的に叩いてしまう。この蚊も生きるのに一生懸命なのにと思うと、わーっ、私ってなんて冷酷無比なやつ。

だから大人が木登りをしただけで話題になるし、まして木の上で何かつぶやいていたりすれば、見物人も出る。そのうち（街の三狂人）の噂になるだろう。三人がいいらしい。ちょっと付け足しの三人目を加えると、噂するときの深刻さが無くなって楽しくなるらしいのだ。

道路からは、その大王松の大木が見えない。隣接するスーパーの自動販売機の傍らで、飲みたくもなかったが水を買い、誰も気にしていないのに、久恵は本物のスパイのように、何気ない振りをしながらゆっくりと飲み、豪邸をつくづくと眺めた。

パクさんが大王松に登っているのを見ることが出来るのは、北隣にあるアパートの四階以上の住人だ。噂はその辺から出たのだろう。パクさんは見られていることを知らないに違いない。

しかし夜に、いくら満月といえあのアパートから大王松の上のパクさんを見つけるには、双眼鏡が必要だ。いまどきのスパイはとても使いそうにないニコンのずっしりと重い黒塗りの双眼鏡を久恵もこんな時とばかり持ってきたが、そこでは使えない。人目があるし、低いところからは何も見えない。

久恵は時々アパートの窓から双眼鏡で、黙々と出勤して行く人々を眺める。鳥や雲を見るよりはずっと面白い。朝は新聞の配達される四時ごろから起きているので、図書館に行くまでにかなりの時間の余裕がある。ベッドでお茶を飲みながらゆっくりと新聞を読み、切り抜いたりスクラップブックに整理したりしてから朝食。何からも邪魔されない至福の時間。それまでずっと働いてきたことへのご褒美のような時間だ。こんな日の来るのを心待ちにしていたので、一日の締めくくりのお風呂につかる時だけでなく、久恵にはすべての瞬間が（極楽、極楽）なのであった。が、時々同じような毎日に、境目があいまいになり、

（あれ、これって、今日のこと、昨日だった。あれ、明日起きることなの）

と、つぶやく事もしばしば。そんなことどうでもよい、と、いつもは思うのだが、そう思えない時もあり、そんな時はストーンと暗闇に落ち込んでしまい、自分ではいかんとも

しがたい時間が訪れる。

(なんなの、何処なの、誰なの、何しているの)

意地悪な質問の波に深く沈む。怖くて寒くて、震えが止まらない。

そして(いいの、いいの。これが私)と穏やかな気持ちになれるまで少し時間がかかる。そんな時は精神科の医者にもらった安定剤を飲む。

いつか図書館で一心に受験勉強しているらしい青年を見かけ、(誰からもテストされることもない自分)と、そんな気ままな時間が持てるようになるのを心待ちにしていた今の久恵なのに、その波が襲ってきた。そんな時は薬を飲んでただひたすら時の過ぎるのを待つしかない。この頃ではそういう時間の過ごし方にも慣れた。時間が沢山あるために起こる異変。こんな変調も贅沢な時間を沢山持っている人の特権と思うことにした。


自分の事はさておき、久恵は大王松の上でのパフォーマンスがこれ以上エスカレートする前に、昔の知り合いとして、満月の夜の行事には見物人がいることを教えてあげようと思った。

その機会を待っていた。再会をさりげなく済まし、パクさんの今の状況を知ってからでないと危険だ。久恵もなかなか用心深い。

その後、二度ほど図書館のカフェで見かけたが、タイミングが合わず、なかなか良い機会が無かった。

ふと、（これって、ストーカー行為？）と思ってクスクスと笑ってしまった。

久恵は三十五歳で離婚して以来独身である。自分で食べるくらいの金は自分で稼がなくてはと働いた。定年になるまではちゃんとそれなりの人との関わりあいもあったのだ。

つき合っていた男とは、男が定年になった時、愛人から友達に格上げになった。たまには着飾って食事に行くが、友達に格上げになったせいか男の話に艶が欠け、つまらない。

会社主催の定年を祝う会の時、男の家族に友人と紹介された。愛人ですというわけにもいかないだろう。その日、久恵は男の気のよさそうな老妻を眺め、男はこういう人と毎日の多くの時間を過ごしているのだと思うと、少しはあったかもしれない恋心もだいぶ覚めた。

男もみんなが久恵にする、遠くの物を眺める目つきで久恵を眺めながら、嬉しそうに（今までありがとう）と、みんなに言うのと同じ言葉をかけ、握手をし、別れて行った。

離婚後入った地方新聞社の広告部に男はいた。会社の山のクラブのリーダーで、よく山に行った。まだ二人とも今よりはずっと若かったから、機会あるごとにとろけていた。便利な愛人。

久恵は男の誕生日をちゃんと覚えていて祝ってあげるのに、去年の久恵の誕生日は思い出させてあげなければならなかった。（ボケが始まったのかしら）、と心配になる。

このボーイフレンドとも夢の中では泣いたりわめいたり殺したりもするが、実際は、すました付き合い。虚構の世界ではいくらでも体験済みだが、本当には深刻な恋愛はした事がない。しがみついて離したくないような男に出会わなかっただけかもしれない。いや、架空の世界で忙しく、現実世界でややこしい恋愛をしている暇がなかったというほうが本当。夢のノートでは込み入った、濃密な世界が広がっていて、ときに現実と入り交じり、人と話をする時（えっ）と云う顔をされ（あれ）と自身でも訳が判らなくなることもあった。

離婚した娘の父親は製薬会社で働くまじめが取り柄の無趣味な男だったが、付き合い方としては現実では一番ドラマチックだった。お互いに恋人がいたのに、いつの間にか結婚し早々と娘が出来た。生涯の相手と思っていたのだが、（君は怖い。君には子供を育てられない。君は一人になって自分を追求する生き方がふさわしい）などと、訳のわからないことを言って娘をつれいつの間にかいなくなり、離婚届の紙が送られてきた。

娘にはいつでも会えるというし、住んでいたアパートもくれるという。しばらくは父娘で近くのアパートに居たが、関西の本社に転勤し娘ともども引っ越していった。一人になって久恵はお花畑の真ん中に大の字になって寝そべっているように嬉しかった。ホッとしていた。

結婚生活には向いていないタイプのようだ。相手の心の奥深くに入り込み、相手が思ってもいないことを思っているように思わせたりして、人の心をぐしゃぐしゃにしてしまうらしい。一人娘も父親の方が性に合っているように見受けられた。娘にはそれでも盆暮れ誕生日に久恵からは贈り物をしているが、娘からは返礼も忘れられることもあった。が、娘なんてそんなものだろうと久恵はあまり気にならない。

離婚後、やっと潜り込んだ地方新聞社では雑用係として重宝されていると思っていたが、付き合っていた男が定年になってからは風当たりが強かった。が、久恵はそんなことは一向に気にならない。久恵も定年になるまで働いた。

（今の六十代は昔の四十代）と、言われているらしい。（では、七十代は五十代と思っていいわけね。なんだか得した感じ）と、久恵はルンルン気分。今のところ健康だし二十四時間丸々自分の時間。

久恵には他人から見たらどん底のような時でも幸せに感じることができる特殊能力があるらしい。よくいえば楽天的。悪く言えば少しねじが緩んでいるということか。誰もが同じように久恵の事を遠くにある物を見るような目つきで見る。他人がそんな風に見ていると感じることはあったが、（遠くに離れていてほしいの。いいわよ。そうしましょう。どう思おうとどんな目つきで見ようとそれはそちらの自由よ）と、久恵は気にしない。とうに亡くなった両親は一人娘の久恵を奔放に育て過ぎたのだろうか。

給料を貰っている時は気持ちを随分と抑えた毎日だったが、定年になって後、久恵は、一度に潔く散ってゆく嵐の中の桜の花びらのように、体の中の何もかもがうれしくて乱舞している。

老いも又楽し

図書館通い中心の毎日もなかなか快適だが、満月の夜、大王松に登ると言う噂のパクさんが観察テーマに加わり、何だか毎日が跳ねている。

パクさんを初めて見かけてから、二カ月ほどたったある日、図書館のカフェで本を読みながらサンドイッチを食べているパクさんを見かけた。十二月になって中庭には人も少ない。

十二月も半ばだったが、暖かく、黒のセーターを着たパクさんはカフェの中庭で、日光に蒲団を干すように全身を広げ、サンドイッチを楽しんでいた。行儀が悪い。でも心地良さそう。黒いセーターに鼻を寄せれば、太陽の光に充分暖められた枯れ葉のような匂いがするだろう。待っていた良いタイミングだ。

「パクさん」

久恵もサンドイッチとコーヒーを載せたお盆を持って、明るく声をかけながら、（同じテーブルにすわっていいか）というゼスチャーをした。

パクさんは一瞬、ぽけっ、とした表情をしたが、次に、あわてた様子で干していた体をたたみながら、久恵の顔をじっと見つめた。

「忘れましたか。昔々ですものね。学生の頃自治会で一緒だった広田よ。座っていいかしら」

パクさんは、いいとも悪いとも言わず、広がっていたカップや皿を、トレーに収めた。かなり失礼である。しばらくして、

「広田さん。ああ、思い出したよ」

と、とてもまともな反応だった。久恵はとっくに向かいの椅子に腰をおろしていた。

「おじゃまだったかしら」

「そんな事ないよ。いいよ」

パクさんはベンチのバッグを引き寄せたり押し遣ったり意味のない動きをしている。

「変わらないわね。すぐにパクさんとわかったわ」

「この街に長いの？」

パクさんはやっと久恵の顔を見た。

「四十年というところかな。どうしていましたか」

久恵は気取って聞く。

「学生時代以来だね。ずいぶんと昔だね。広田さんはどうしていたの」

「私。そうね。普通にいろいろ。でもまあ、好きなように暮らしているほうかしら。ねえ、良かったら家に食事にこない。私けっこう料理上手なのよ」

「ふーん」

パクさんは思案していた。いきなりだから、当然戸惑うだろう。

「昔の知り合いに会えてうれしいのよ」

パクさんはじーっと久恵の顔を見て思案していた。（この人おかしくないかな）とか思っているのかしら。それはそうだろう。半世紀近い時を経て会って、いきなりの食事へのお誘いなのだから。思案して当然。久恵もここで大王松の話をするつもりだったのに、急にそんな言葉が出てしまったのである。しかしここで断られては困る。

「昔、パクさんの下宿訪ねた事があるのよ。覚えていますか？」

パクさんはあいまいに首を振った。

「パクさんが私の本を持っていってしまい、返してくれないので取りに行った時よ」

「そんな事があったの」

「その時のパクさんにはドキッとしたわ」

「えーっ」

パクさんは何か一生懸命思い出そうとしている様子だった。

「大丈夫よ。何もなかったわ。私が幼かっただけ。ねえ、一緒に食事しましょうよ」

これって男をナンパしている事なのかな、と思っておかしかった。効果があるかどうかわからないが、断られないよう、精一杯の気持ちを目にこめた。昔、パクさんの下宿でされた目を思い出そうとした。今や、一通りは体験済みなのだから、どんな目つきだって出来る。しかし、だめだめ、年相応というものがあるだろう。今、二十代の頃の情熱的な目つきをしたら、気味悪がられるに違いない。久恵は慌てて表情を修正した。そんな自分がおかしくて笑い出しそうになり、下を向いてこらえた。パクさんは少しの間をおいて、元気良く、

「いいよ、家へこない」

と、言った。

「良かった。断られるかと思った」

「ねえ、これって、若い子がやるとナンパっていうことかな」

「はっはは」

パクさんは楽しそうに声をあげて笑った。

「年をとっていてもナンパか」

二人ともひとしきり、顔を赤くして笑った。顔が赤くなったのは恥ずかしいのではなく血圧が上がってのことだ。

冬の陽射しが暖かく、笑っているうちに、五十年という時がぐるぐると渦巻いて、やわ

らかく溶けてゆく気がした。

「私、ナンパなんて初めての経験」

「ナンパなの、これ」

「そうよ。不良老年」

そう言ってから、久恵は本当に不良したい気がしてきた。

（あれ、今までも十分不良人生だったかな）

と、仕事時代の男のことを思い出した。今でも時々会うとはいうものの、久恵の頭のなかではとうに過去の人。夢の中では男はずいぶん前に自動車事故で死んでいる。男にあった時その話をしてあげると、男は、

「じゃ、今のおれは幽霊か」

「そう、何時消えてもいつ現れてもいいのよ」

（私の誕生日を忘れるようなあなたはいないも同然なのよ。それとも生き返らせ、もう少し残酷な人生を生きてもらおうかしら）

久恵はその時そう思いながら笑った。

パクさんは屈託なさそうに笑っていた。かなりしわが入った顔は、でも楽しそうに見えた。こんな笑顔は学生時代には見た記憶がなかった。なんだか本物のナンパをしたみたいで楽しかった。

とにかく（第一段階はクリヤー）。パクさんを傷つけないように良い条件のもとでしなくてはならない任務がある。ナンパと思われようがかまいはしない。定年になってからは、やりたい事は何でもやる事にしている。

気ままな退職者生活も長くなると、何かもう少し違った事がしたい気がしている。架空の世界に生きるには想像力が枯渇してきたという事かもしれない。

「同じ地区に住んでいるのよ」

「パクさんなんて呼ばれたの、久しぶりで自分の事なのか迷ったよ。よく覚えていたね」

「山本さんのほうがいいかしら」

「パクなんて言われていたの、あの頃だけだからな」

「私にはパクさんなのよね。それ以外の名で呼んだことないもの。山本さんとか幸雄さんなんて呼んだら、なんだか関係が変わってしまいそう」

久恵の思わせぶりな言いように、パクさんは顔を赤らめた。気が付かない振りをして、下を向いてサンドイッチを食べ、パクさんの顔の色が収まるのを待った。

殺人をしたり、詐欺をしたりする人ではなさそうだ。人がなんだか怪しげに言う、満月の夜に大王松に登る事は久恵には好ましい要素。あの家に住んでいたら、久恵もそんな事をしそうな気がする。家を訪ねても危険はなさそうだ。

「明日行っていい」

「いいよ」

「何か嫌いなものある」

「なんにも」

「じゃあ、明日ね」

ひょっとして明日が満月ではないだろうか。どうせなら満月であれば話が早い。ちゃんと月齢が載っている愛用の手帳に約束の時間を書く振りをして調べると、満月はまだだいぶ先だった。

急ぐ事は何もないのだが明日の約束ができたので、まだゆっくりしていそうなパクさんを残して図書館を後にした。

淡交

翌日、失敗しそうにない簡単な料理、パエリアの支度をしている間、パクさんはずっと庭を掃いていた。

昨夜の風でまだ木についていた落葉樹の葉はほとんど落ちたようだった。枯れ葉を踏みつけながらその音と香りを楽しむ散歩も今年はもう終わり。

屋内のあちらこちらに、このお寺のような家にふさわしい調度品が鎮座している。この街が出来た時に、あたりの農家は土地と引き換えに大金を手にし、そのお金を目当てに毛皮や車、宝石、美術品などあらゆる業者が全国から群がったと言う。農業から上手に別の商売に転身できた家は良いが、博打や危ない投資などで身を滅ぼした人も大勢いたと聞いた。

パクさんの家は上手に転身できた部類に入るのだろう。それでも色々な商人が訪ねてきた痕跡が残っている。商人がうまい事を言って置いて行かなければ買わないような物がいっぱいある。商品を置いていって代金はずっと後に取りに来る商法が、人のよい金持ち相手に流行ったと聞いた。この家にもそんな商法が行われたようだ。

普通のアパートの部屋に比べどの部屋も広い。その広い部屋が一階だけでも十部屋ぐらいありそうな大きな家だ。どうしてこんな大きい家を建てたのだろう、不思議だ。維持費も掃除も大変だろうなんて久恵はつつましい事を考えてしまう。

いつのまにか微妙に少なくなってきた年金で暮らしている者としては、こんなに家中の電気をつけたままにするなんて心臓に悪い。日暮れれば夢見に忙しい久恵は電気をほとんどつけない暮らしだ。ここではあちこちにあるストーブも暑いくらいに赤々とついている。

パエリアがそろそろ出来あがりそうになってもまだ何処かでバリバリという箒の気持ち良い音が聞こえていた。リズムの良いその音は何だか快感。音は遠くなったり近くなったり。

広い玄関から続くこれも広い廊下の突き当たりが台所になっていた。ここも広い。大きな食卓を置いてもまだ空間があり余っている。隣の居間らしき部屋のテーブルで食事が出来るように箸やコップをセットした。

「うまそうな匂いだね」

パクさんが手拭いで手を拭きながら現れた。

「何だか楽しいな。パクさんとは、ほら、学生時代、一つ釜の飯食ったというか、何となく安心。いろいろ話が出来そうな気がするわ」

「そお。一つ釜の飯食ったよね」

「いやだな、覚えていたの。あの硬くて生煮えご飯ね。奥多摩の合宿の時。恥ずかしかったので、私は忘れないけど。薪でご飯炊いたことなかったものだから。皆文句も言わないで味噌汁かけて食べてくれた」

「文句なんて言えないよ。広田さんが女だからっていうわけじゃなかったと思うけど、飯の用意頼んでさ。なんか負い目があった気がする」

「あの時たしか薪集めなんかは男たちがしたと思うよ。分業体制で。私はなんの違和感も無かったけど。役割をちゃんと果たせないで恥ずかしかった。忘れられない失敗のひとつ」

「そういえばあの合宿の時、安田が広田さんをモノにするなんて男たちの前で宣言したものだから、横井が心配して、一晩中広田さんが寝ている部屋の前で起きて見張りしながら勉強していた。有名な話。覚えているよ」

「そんな事あったわね。懐かしいな。あの硬いご飯の件は本当に恥ずかしい」

「そんなに真面目に考えていたの」

「そうよ。私ってネ、真面目。けど、結構だめ人間。失敗ばかり。この年になって、振り返ると（キャーッ）って言う感じ。でも振り返らないよりいいよね」

「それはそう。前向きだね。だけどそんなに素直に自分を語っていいの。五十年たっている。僕スパイかもしれない」

「そんな風には見えない。スパイぐらいされたかったわ。かっこいいじゃない」

ビールを飲みながら和やかにパエリアとサラダの昼食を始めた。

「パクさん。今日は密告に来たのよ。スパイやっている場合ではないわよ。あなたがスパイされている。身におぼえある？」

「僕が？」

「そうよ。スパイされているだけじゃないわよ。共同謀議、すごいんだから。この街の有名人なのよ。そのこと知っているかなと思ってね」

久恵はおどけた風に言う。

「このあたりの家、皆新しくなったからね。この家目立つからな。そんな類いの事でしょう」

「いいえ。パクさん、満月の夜に何か芝居するでしょう。大王松の上で」

パクさんはエーッと言う顔をして身をのけぞらせた。見られていることを知らなかったようだ。

「そうなの。見物人まで出る騒ぎよ。この退屈な街にうれしい話題を提供している。私はね、見物より、満月の夜にぜひ大王松の上に招待されたいと思っているのですけど。大王松の上でなにをしているの？　お酒飲んでいるの？　怪しげな声がするって聞いたわよ」

「何にも。お月さん見ているだけ。歌ぐらい歌ったことあるかもしれないけど」

「そう。人はなにか狂信的な宗教ではないか、なんて心配しているみたい。でも、パクさんと宗教って言うのもね、違うかなと思ったけど、で、どうなの」

「自分教かな。それもあまり夢中にはなれない」

「そう。本当にお月さん眺めているだけなの。何か研究しているのでしょう。深遠な哲学的なこととか」

「瞑想なんていうと満足してくれるのかな。本当はただ寝転がっているだけ。面白いよ。晴れていたらおいでよ。今度の満月の時」

「来る、来る。絶対来るわ。で、お酒でも持ってあがる？」

「いいよ。酒持っていっても。寒いからね」

「酔っ払って落ちたら困るか。変装して上がろうかな」

「変装」

「そお。噂が好きな人がいるのよね」

「噂されると困ることあるの」

「パクさん、あなた少し狂っているのではないかって言われている」

「うん。当たり。少しどころかだいぶ狂っている気がするね」

「まあいいか。私も少し変な人の部類に入れられている気がする。それでどんなふうに狂っているの。政治の方？」

「そっちの方はとっくの昔に敗退」

「そうなの」

「目の前で仲間が仲間に殺されるの見てね。ほら、内ゲバ」

「いいわよ。無理に言わなくても。私こそ警察かもよ」

パクさんは一瞬、曖昧な表情をした。

「いつの間にか普通の勤め人さ」

「そうなの。私、パクさんはずっと続ける人かと思っていた」

久恵はあの頃の活動一筋だったパクさんがどんな風に普通の勤め人になったのか知りた

かった。

見知らぬ人の殺人事件でも心が揺れるのに、一つ釜の飯を食べ、スクラムを組んだ者同志の殺し合いなど理解の範疇を超えている。意見が違うものは抹殺と云うのは短絡過ぎないか。頭脳優秀な人たちがどうしてそんなことが出来るのだろう。切羽詰まって、頭が正しく働いていない状態になってしまったとしか考えられない。と、一般学生だった久恵は思っていた。

「切り替え、難しかったでしょう」

「ぐずぐずしていたよ。親の金パクってしばらくアメリカを歩き回っていたよ。逃げ回っていた」

パクさんはそこで、急にかわいい顔になり、にこっと笑った。親からのパクリ成功ということだろう。

「なにから逃げていたの？」

「すべてからかな」

「でも、この社会のシステムからは逃げられないってわかるのに五年もかかったよ。ばかだね。そのうち他のやり方もあるのではと。逃げね。よくある話さ。庶民の生き方。仕事の中でそれなりに努力はしたつもりだけど」

「五年も歩き回っていられたなんて、ラッキーね。詩でも書いていたの」

「詩？　そんな風に見える？」

「ひょろひょろ、ふらふら、風に揺れているみたいなパクさんと詩ってなんとなく似合う気がする。大王松に登るしね。それからどうしたの」

「それから、大学に戻って卒業した。二年かかったよ」

「それから？　もっと聞いていい？」

「それからね。うん。子供が出来てね」

「結婚したのね」

「月並みにね。それで働き出した」

「なにをしていたの」

「ごくごく小さい出版社。業界紙みたいなものを発行していた。あまりまともな所じゃなかったけどね。僕、ひとり息子だったから、親が喜んでね。あの頃だけだな、僕が親孝行できたの」

「親孝行、間に合って良かったね」

「でも、すぐに逃げられた。子供ともども。他の男と結婚したらしい」

「あらまあ。そこは私と似ている。子供に会いたい？」

「あまり。僕の子供ではなかった気がするし。そういうシステムからも逃げたかったのだから、いいのさ」

「でも、生きている限り、逃げられないのだから、そういうのもいいと思うけど」

「まあね。結構楽しかったよ。でも、きっと覚悟が足りなかったのを見透かされたのだろうな」

「そうか、つらい時期もあったのね。私も離婚経験者だからわかるわ。ねえ。聞かせて、聞いていい。それからどうしたの」

久恵は重い話になり、受け止められないかもなどと危惧した事を忘れ、聞きたがった。

「僕らの学生時代にはなんと言うか、世の中に破れがいっぱい見えていたじゃない。だから革命なんて言う言葉もあまり違和感なく言えた。今では見てよ。世の中ばっちり、システムにくみこまれ破れどころかほころびも見つからない。革命なんて言葉、死語」

「というか、裂け目がとてつもなく深くて覗くのが怖い。近くによるのもいやと言う感じではないかしら。もう手が及ばないって言うような。社会変革なんてしようと云う気力がそがれている。教育のせいかしら」

「閉塞状況の中で宗教が流行った。宗教で救われる人はいいけど、ますます目を社会からそらしてしまう。システムが変わらないとね」

「わかるけど、何かにすがるしかない、それしかない、絶望的な状況の人もいると思う。でもどうするの。このシステムから逃げられないし、このシステムはおかしいと思っている人はどうすればいいの。庶民の力ではね。丸めこまれるばかり。今、何考えているの。

大王松の上で」

「あれは遊びだって言ったでしょう」

パクさんはにこにこしながらあっさりとそう言った。久恵はすこしがっかり。本当は大王松の上で何か奇怪な事でも考えていてくれたら面白いのに。

「どうしたら皆一緒に豊かになれるのか。経済的にも精神的にもね。でも限られた時間の中で、個人のできる事、年と共にわかってくる」

「まだまだ死ぬには早いしね。なにか生まれないかしら。このごろ改革とか変革でなく、進化なんて言う言葉が流行っている。資本主義も進化して何か良いものになっていくと言うような。そんなのごまかしと思う。（進化って進歩ではないよ）と偉い学者もいっていた。それに、生涯学習だとかボランティアとか薦められて、知恵も金も時間もある、何かやろうと思えば結構大きな事が出来そうな気がするわれわれ世代が世の中から隔離、幽閉されている気がするのだけど、思い過ごしかな」

「うーん。易きに流れながらも、鬱々とそんな風に感じている人たち多いのだろうね」

「多いわよ。若いころあんな風に社会参加した人たちが今の世の中これでいいなんて思うはずがないじゃない」

久恵はこんなこと話す自分、結構まともじゃないと思った。まともだから遠くを見るような、あっちへ行けというような変な目つきで眺められるのかもしれない。なんて、酔いに任せて、自分をちょっと誇らしく思った。資本主義のドンヅマリにきて誰にも次の世をどうして良いのかわからない。

「小さな幸せのなかに半ば諦めて生きているという感じかな。自分の力を見くびって。僕達ってシステムのボーダーに居るよね。生産もせず、まあ消費はちょこっとしているけど。システムのボーダーに居ると世の中全体がよく眺められる」

パクさんもなんだかずいぶんと偉そうに見える。学者風。

「そうね。年をとったのでよく見えるようになってきたという部分もある、世の中と緊張した利害関係がなくなっているせいか全体が素直によく見渡せる」

「そう、利害関係からも自由だし、男とか女とか、家族とか親せきからも。僕などここに戻ってからは友達関係からも自由。いろいろとてもよく見えるよ」

ビールを何本も空け、良い気分で吹いていた。なんだかずいぶんと偉くなった気分。世の中を良くするにはどうしたら良いのか、そんな事久しく考えた事もなかったのに、酔いのせいか真剣に考えてきたような気分になっていた。人は、社会は、進化しているのだろうか。頭も手足も皆機械に頼って、身体は退化、多分、壊れかけている。何かに浸食されつつあるような気がする久恵だった。

(もしかして私など、超進化しつつあるのかも。いや情報過多で容量オーバーになり壊れかけている。ということかしら。うふ)

と、久恵は壊れかけていると思いながらも良い気分。

(本当は切り捨てられているのに、そんな風に思う退化した脳、なのね)

と、次の瞬間少し反省もする。

「世の中から外れた所で、お役御免になった人どうしがこんな事言い合っても仕方ないか」

パクさんは照れていた。

「いいじゃない。私楽しいわ。食事が進む。それに、これからはお役御免になったなんて言っていられない。じいさんばあさんががんばって世の中を変えて行かなくてはならないかも」

「人手不足だから?」

「そう。死んでもいいような年の人が死ぬ気で何かやったら、結構捗るのではないかしら。ひとつ旗揚げしましょうか」

二人してなにか成し遂げたかのようにからからと笑った。

「立てー、年老いて賢く生きたいものよ。老年党ばんざい。社会のお荷物だなんて言われていないで、死ぬ前に何か意義あることをやろう」

酔って歌う。肩を組んで校歌でも歌い出しそうだ。

「凡人はね、世の中に迷惑かけないでひっそりと生きているだけでも意義あることの気もするけどね」

「そうね。でもパーッと何か花火上げたい気もするな。その方が面白い」

「酔っぱらい党万歳かい」

ビールを注ぎ合いながら昼間から宴会気分、言いたい放題。楽しんでいた。久恵はふと、こんな風に他人と笑いながら話をするのは久しくなかったことを思い出していた。笑いながらどころかこの頃では他人と話をしなくなっていた。架空の世界に遊びにゆきっぱなしになっていることが多いのだ。

「そう言えば思い出した事があるよ。広田さん、あの頃（じゃんじゃん赤ん坊産んで、皆、仲間にする）って意気まいていたよ。じゃんじゃん産んだの？　仲間にしたの？」

「いやな事思い出したわね。そんな事言っていた気がするな。でも、見事に当てが外れたわ。やっと一人、大騒ぎして産んだけど、私とはことごとく正反対の性格」

「オルグに失敗したって訳ね」

「いじわる」

「それで、今は何しているの？」

「年金生活者よ。二十四時間自分の時間。やっと望んでいた生活になったのだけど、こんな毎日でいいのかなって、ふと思う。消費だけして生産しない生活。社会に眺める事だけで参加している。それって、参加にならないか。仕事も結婚も子育ても落第点。今更やり直せない事ばかり。その辺、考え始めるとおかしくなりそう」

「それ、採点のし方よ。見方を変える。そしたら満点かも。流行りのボランティアはしないの？」

と、パクさんはやさしい。

「無償の労働と時間を提供してまでも社会に参加したい善意や孤独ってわかるけど」

久恵は時折苛まれる、自己否定の大波が来そうで、慌ててビールを流し込み、その大波を押しやった。

社会からも周囲からも何も期待されない寂しさを、気ままで自由と思えるまでには時間
がかかったのを思い出していた。

「何か狙っているでしょう。今のシステムに変わる画期的な新理論が誕生したりしてね」

「おちょくるな。そんな理論出来たらノーベル賞物だよ。身のほどを知っている」

「そんな普通の小父さんみたいな事言わないで。雑魚とか雑巾などと言われ、使い捨ての
私達とは違い、パクさんはずーっとがんばれる人かと思っていた。勿論、私にはパクさん
にこんな事問う何の資格も無い事わかっているけれどね」

「だから、普通のおじいさんよ」

パクさんはビールを持つ手元を眺め、口元にコップを遊ばせていた。何やら思案顔だ。

（おじいさん。そうか。パクさんはもう七十をとうに過ぎているだろう。おじいさんね。

世間的には十分におじいさんと呼ばれる年になっている。でも待てよ。おじいさんなんて言ってしまうのは一種の逃げ。騙されないぞ。あの頃まじめに政治運動をして死んでしまった人や狂ってしまった人もいるのに、ビールを飲んでおじいさんしていていいのかな)

と、久恵は自分のことを忘れて思う。

パクさんに普通のおじいさんであって欲しくない。それに新聞に時々載るけど、今だってあの頃と同じような事やっている人達もいる。九条改革に反対し六十代七十代の昔の仲間が立ちあがった報道もあった。意思表示のために町をデモ行進するのによろよろと杖が必要な人たちが、死ぬまで頑張るぞと立ち上がっているではないか。久恵はなんだかすっきりしない。

「仲間同士で殴り合いながら、手が一瞬止まってしまうのよ。死にたくなかったし、殺したくも無かった。逃げても、逃げても、自分の何たるかもわからないし、状況に流されていたね」

「政治より芸術タイプだったのかな」

「平気で生き方を変えられる自分が信じられなかったよ。自信喪失というか、自己嫌悪」

「それ、ただ、大人になるってことじゃない」

パクさんはビールをグイッと空けた。

「セックスって、すごいよね」

久恵も慌ててビールをグイッと空けた。

どちらかと言えば植物のように、油気のないパクさん、一体何を言い出すのやら。ビールを注ぎあい、二人とも二杯、黙って空け、構えた。

「神秘的だったなあ。存在がひとつになる、あの感じ。僕はある時期ひたすらのめり込んだね。広田さんはどう。こんな事こんな年になったから女の人とも話せるようになったけど」

「女の人ね。ありがとう。このごろあまり女を意識する事もないから、女の人なんて言われるだけでもうれしいな」

あの政治まみれで普段は、あ、とか、おう、としか言葉を発しなかった無口のパクさんがこんな事を話す大人になったのだと、久恵はパクさんを改めて眺めてしまった。

「セックスね。なんかセックスも卒業したみたいに話すじゃない」

パクさんは笑いながら、頭を傾け、横向きの顔で久恵を眺め上げた。そのパクさんの顔を眺め久恵は、

(へーこの年ではまだ卒業して無い。そうか、ピカソは確か七十近くで子供授かったような気がする。そう言えば六十代の女性が出産したニュースもあった)

なんて考えながら笑った。

「セックスね。記憶をたどってみると、そうね、確かに神秘的だったわね。のぼりつめていく時の自分をなくすと言うか、純粋に快楽の塊が、ひとつになって行くのが見える気がしたな。のぼりつめる時はいつも、遠く、ずうっと遠く宇宙の果てみたいな遠くに丸い橙色の玉が見えた。本当に見えているのよ。夢で見ているみたいに。体の何処で見ているのかしらね。眠っている訳でも目を閉じている訳でもないのに。不思議だったな。いいセックスの時だけだけど」

「へーえ、広田さんもちゃんといいセックス経験してきたんだね」

「やあねえ。皆経験するわよ。だから人類滅びない。でも、ほとんどは惰性。義務。お付き合い」

「こんなすごい感覚を、他人と共有しあえるなんてすごい。革命どころじゃないって、感動したね。命を創り出す」

「パクさん、やはり芸術家ね。セックスアートなんか生まれたりして。そうよ。それにまか不思議な感情、愛がね、発生する」

「その愛がさ、人類愛になればいいけど、そこから壊れていく」

「人類は原始共産主義にまで戻る事は出来ないわね。そう言えば昔々、自治会室には何だかそんな価値観の人が居たわね。パクさん。一度聞きたいと思っていたの。あのパクリ、どういうことだったの？　既成の価値観を打ち壊していたつもりなの？　私、学生時代、ポケットの中のちり紙をわざと道路に捨ててみようかと悩んだ事あったわ。公衆道徳みたいな物も否定するのが革命的な事かどうか幼く悩んだわけ。悩んだ末、捨てるのを止めたけれど」

「その辺に捨ててあったような物を拾って役に立てただけ。金なかったしね。家からは一時期勘当されていた。親父が死んでおふくろの気が弱くなってね」

と、パクさんはニヤニヤと受け流した。

たわいもないことに話が弾んだ。それなのにふと、ため息がでた。いいじゃないか、庶民なのだから気張らなくても、毎日をつつがなく過ごせれば上等と言わなければ、と思いながら、こんなのありかなと、ため息が出た。

五時間ほどのお喋りの時間が瞬く間に過ぎ、満月の夜の再会を約束して別れた。歩いて二十分ほどの距離をふらふらと歩きながら、それでも久しぶりに他人とのお喋りの余韻で久恵は心地よく、でも少しざわついていた。

腑に落ちない。パクさんがもっと破れていたり、あるいはもっと普通のお父さんになっていたりすれば納得したのだろうか。大王松に登ると聞いて期待する所があったのだけれども、それは単なる趣味のレベルという。なんだ、すこしも破れていない。

（時間も財も健康な体もあって、ただ読書三昧？　ずるいよ、そんなの）

（ヒッピーみたいにアメリカを放浪？　結婚してセックス三昧？）

（おかしいよ。パクさんのアジにのせられ政治運動に走り、いい就職を棒に振った人だっているのに）

（あれでは何だか、のん気な父さん）

（まてよ、あれは見せかけだけかも。何か世の為、人の為になることをする、今は助走期間なのかも。そうに違いない。観察しなくては）

歩きながら久恵は自分のことは棚に上げパクさんのことを考えていると、あの黒い大波がやってきそうになった。（自分はどうなの、自分はどうなの）久恵は小走りに走った。走るとあの暗く黒い大波からのがれられる気がした。

（大丈夫、大丈夫、人生百年時代。まだ先がある。ゆっくりゆこう）


嬉々として在りのままの自分を見せた久恵。なぜ木に登るというだけでそんなに気を許していいの。親しく話す友人もなく、昔のボーイフレンドとの話は気が抜けている。さびしかったのだろうか。毎日充実していると思っているのに。

何のために健康を維持し、何のために書物を読むの。まだ見ぬ孫のお守りのためでも無いだろうに。楽しいから。楽しいだけの毎日でいいのかな。久恵は今にも又襲ってきそうなあの自己否定の大波をかわすために暗く深い波の下に潜り込もうとあがいた。

ピースウオーク

師走の満月は雪だった。パクさんと図書館で会う事もなく、それでも時々思い出しながら一カ月が過ぎた。

二月の満月にパクさんを訪ねた。寒いけど春までは待てない。せっかちなのだ。何でも始めたら終わらないと落ちつかない。

おすしと熱燗でからだを温めてから庭に出た。

山登りもやると言うパクさんは久恵の胴体にザイルを巻きつけ、先に大王松に登った。途中までは梯子がかけてあるし、登るのに丁度よい枝もある。パクさんはサルのようにすいすいとその長い手足を駆使して登っていった。山登りで鍛えている。

久恵が登る時にはザイルをぐんぐん引っ張ってくれたので簡単に登れた。

ほかの庭の木々よりは一段とのっぽの大王松のてっぺん近くには二枚の分厚い板で作られた床が木の幹にしっかりと括りつけられちょうどよい加減の枝の間にはまっていた。一人用のスペースなので二人には狭い。眼下に木々が広がり山の頂上にいるようだ。

「こうして寝そべって眺める」

パクさんはそう言うと、長い体を久恵の足元に横たえた。そして腰につけていた袋の中から二本の筒を取り出して両目に当てた。

「こうしてね。片目で見るより両目で見るほうがよく見える。うーん今日は一段ときれいに見えるね。ほら」

と、枝につかまって固まっている久恵の手を引っ張った。パクさんの横に並んで横になった。当然予想するべきなのにこんな狭いスペースに二人で横になる事をちらりとも考えなかったので、久恵は少し緊張した。

「落ちそうで怖いわ。ちょっと腕貸してね」

と、パクさんとスクラムを組んだ。

「大丈夫だよ。落ちても下まで落ちない。ザイルで結んであるからね」

ザイルの一方はパクさんの体から離れ木の幹にしっかりと結ばれていた。

「どれ筒を貸してみて。あら、これ、ファックスの紙の芯でしょう。家にもあるわ」

「そうして、筒の穴から月を見ると、自分と月だけになるでしょう。周りは何も見えない」

「本当。月にどんどん近づいてゆく。自分が浮かんでいる感じ。すごいねえ。やみつきになりそう」

「ニューメキシコの友人がね、月の夜はいつも山に登って帰ってこない。一晩中何しているのか聞いたら、これ。山といっても裏山で、彼の足でなら夜でも一時間もあれば登れるような山。それでも二千メートルぐらいある。彼の家のある所がすでに千メートル以上あるからね」

「面白そうな友達ね。何をしている人なの？」

「今は何もしていないのではないかな。ピースウオーク、って聞いたことない。アメリカ中、十年もピースウオークって書いたシャツを着て歩いた男」

「今でもあちこちでやっているよね。日本でも。ピースウオーク。十年も歩くなんていうのではないけど。その人は十年も歩きつづけたの。すごいね」

「そう。何を演説するわけでなく、ただ歩いた。話しかけてくる人とは話もするし、食事に誘われれば一緒に食事もする、気ままな道行だったらしいけど。物見遊山だったかもしれないね。野宿が多かったと言っていた。カンパしてくれる人もいただろうしね。十年間歩いて辞め、それからは粗末な小屋で隠遁生活をしている。ふらふらしている時の知り合い。半年ほど居候して一緒に山の上で月を眺めてきたよ。どこで眺めても同じ月なのだけどね。彼のように裏山はないから、その代わりに木の上という訳さ」

「平和運動なのね。十年間もひとりで運動していたのね。きっとベトナムとか朝鮮戦争に行った人でしょう」

「そう、ベトナムに行った。病気して戻ってきて、国から生活できるくらいのお金が出ているみたい」

「十年で辞めた理由はあるの」

「アメリカ全州を歩いたからだって」

「たくさんの人が平和について考えたでしょうね」

「多分ね。雑誌やテレビにも出たし。だけど、平和のために何を言ったらよいのか判らないと言っていた。むしろ、歩いている内にいろんな人から教わったって。庶民だからね。本人はただひたすらシャツを着て歩く事の他は何も出来なかったと」

「それだけで立派。庶民一人が出来る事なんて限られている。アメリカにもそういう人がいるのね。会ってみたいな」

「そろそろ下りようか。寒くなってきた」

「こうしてずうっと見ていると、体が空間に浮かぶというより、体が月のまわりの空間に溶けてゆく気がするわ。もっと見ているときっと月と一体になりそう。自分がなくなって、溶けてゆく。楽になる。このままの状態でいたいな。でも、寒い。季節の良い時、もう一度来たいな」

「いいよ。何時でも声かけてよ」

「ねえ、でも、ただこれだけ？　望遠鏡で眺めたりもしないの」

「そんな時もあるよ。何にもしないで寝ている時もあるし。まあ、ベランダ代わり」

久恵は大王松の上での月見を、ゆっくりと、出来れば一人でやりたいと思った。アパートの屋上でもできるけど、木の上というのが良い。

帰り道、あれっ、これってミイラ取りがミイラになるって事ねと、クスクスと笑ってしまった。暗くて顔は見えなかったけど、すれ違った人は何だかずいぶんと離れて通りすぎて行った。それもまたおかしくて、笑いが止まらなかった。

パクさんだけでなく、

(どうしたのかしら、頭のネジがだいぶゆるんだみたい。年のせいかしら。それにね、夜遅く、あの大王松のある家から出てきたわよ。どんなご関係かしらね)

なんて言われそう。小さな、交通事故ぐらいしか起こらない街だから噂はすぐに広がる。

パクさんウオッチャーから、

(そう言えば、二月の満月には大王松に人影が二つあったわ)

なんてこともすぐに報告があって、小さな街の井戸端会議は賑やかになるのだろうか。

行儀よく慎ましく静かに平凡な幸せを生きて、何も起こらない平和な町に生活していると、大王松に登るというパクさんの出現が何か新鮮に感じられた。

でも、金も有り、健康で考える事の出来る男が、読書や月見、山登りの趣味に生きているだけなんて信じられなかった。信じたくなかった。観察続行。

久恵はパクさん観察ノートをパタンと閉じながらにんまりと笑った。そしてふと鏡を覗いてみると、自分ながらちょっと怖い笑い顔があった。鏡の中のせいかどこか遠くの世界から来ている人みたいに生気がない。

春になり、南北に長い街の真ん中を背骨のように走っている遊歩道に桜が満開になった。遊歩道には隣接している公園がいくつもあって、お花見に人が集まるので、この時期の遊歩道はにぎやかだ。

一度満開の山桜の下で狂う気持ちを味わってみたいものだ。以前、山一面がつつじの花だらけになる山に行った時も、ピンク色の攻勢で、心がざわざわ落ち着かなかったことを思い出した。その時はまだ離婚したばかりの三十代だったので若さのせいと思ったが、そういう事でもないらしい。人は一つの色に囲まれると脳の中のどこかが変に反応するのではないか。黒い色に魅せられた画家、青色に取りつかれた画家もいた。自然の中の赤と緑のコンビネーションは大好きだ。が、今、遊歩道はピンクの真っ盛り。

春休みなので、図書館はいつもより若い人たちが多く、影色の図書館族は目立たない。ひっそりと、書棚の影に潜んでいる。パクさんも時々見かけるが、カフェで本を片手に黙々と食事をしている事が多かった。私はカフェで食事をする事はめったにないし、図書館はお喋りにふさわしくない。

パクさんとの付き合いはなんとなく秘密めいていた。それで良い。お互い独身なのだかう。


ら、別にこそこそしなくても良いのだが、秘密めいているほうが楽しい。

ニューメキシコに一緒に行く話もまとまりかけている。もう、つついても何も出てこないとパクさんは言う、そのニューメキシコの友人と山の上で一夜の酒宴を楽しみたいと思う。


昨日、大チャンス到来。

こんな狭い国日本で新しく造られたとは言え、この街を貫いて走る遊歩道とまわりにちりばめられた大きな公園の数々は少々贅沢ではないかと、国の研究所だらけの町に越してきた時から思っていた。この遊歩道の下には何か秘密があるのではないかと久恵はひそかに思っている。

で、以前、まだ仕事をしている時、パーティーでいかにも国に重要視されていそうな物理学者に疑問を投げかけたところ、その物理学者なら国の秘密も当然知らされていると思うのだが、困った顔をして口をつむぎ、話題を変えられてしまった。

その時の彼の様子に、やはり、何かある。と、久恵は確信した。それとも（世迷い言を云っている変なおばさん）と避けられただけなのか。

遊歩道の下とその周辺の公園の下には地下研究所や縦横に走る道があるに違いない。東京にまで続いているかもしれない。いざというときのためである。地震かもしれないし、戦争かもしれない。とにかくいざという時にも大切な研究が続けられたり、研究者や政府の要人の避難、安全を確保するためである。遊歩道の周りに隣接して公園があるばかりか、おびただしい野球場や、テニスコートも、研究所の付属施設としてある。その立派な施設を一般の人は勿論、研究所の人達が使っているのをあまり見かけない。普通なら、無駄遣いとすぐにマスコミに取り上げられるだろうが、そんな動きは一度もない。おかしいではないか。そう思い、久恵は秘密の地下施設の在る事を密かに確信していた。スパイ映画の見過ぎかしら。

秘密にする事も無いだろうに。そういう施設だって必要だ。

昨日図書館の帰り道、見てしまった。

週日はいくら桜の時期でも暗くなると遊歩道を人は使わない。痴漢が出るとの噂があるからだ。この街は、バスや電車の交通の便が悪いので、人は車に頼っていてあまり歩かない。桜の時期の週末以外は、昼間でも図書館に行くまで何人の人に会うだろう、という人の通りの少ない街なのだ。

普通は明るい内に帰るのだが、昨日は読書に夢中で、閉館時間になって図書館を追い出され、歩いていると、なんと遊歩道から一般道路に降りる坂道に、遊歩道の地下に入る扉が開いているではないか。中に電気がついているのがすこし開いた扉から見えていた。だいたいそんな所に扉が在ったのも今まで気づかなかった。

もちろん覗いた。どきどきした。奥のほうで二、三人の人作業服の人が何やら話していた。やはり道はずうっと奥まで続いている。そおっと中に入って行くと、作業服のひとりに気が付かれ（何か）という顔をされ、それ以上入るのを阻まれた。

「近くに住んでいるものですけど、見学させてください」

と、言った。

作業服の男は一瞬驚いた顔をして仲間を振り返ったが、やさしげな笑みを浮かべながら近寄ると、

「あー、見学はね。許可がないとね。それにこの時間ではだめだよ」

「何しているのですか」

食い下がった。

「電気工事。危ないからね」

と、病人を扱うように肩を抱きかかえられ、入り口にまで連れ戻された。

きょろきょろとあたりを見まわしたが研究室への扉のような物は見えなかった。それはたまたまそこに部屋が無かっただけの事だろうか。久恵は何か気の利いたことを言って、中に入りこめば良かったのにと、機転の利かなかった事を反省することしきり。（大スクープ出来たかもしれないのに。国の秘密を垣間見てしまった）という思いで、夜はなかなか寝付けなかった。

国の秘密を覗いてしまったからには、暗殺に気をつけなくては。待てよ、あの作業服の男達、何やら薄笑いを浮かべていたけど、あれは何を意味しているのか。もしかして頭のおかしいばあさんと見られたのだろうか。それなら暗殺の心配は無いけど。びくびくしているより、彼らの裏を掻いて先にやっつけてしまおう。

久恵の夜は忙しい。大活劇の夢を見なくては。主人公になれるかな。久恵は布団にもぐりながら、もう楽しい筋書きの中にいた。

壊れる自由

「よう」

翌日、遊歩道を歩いていると誰かにポンと肩をたたかれた。振り向くとパクさんだった。

「あら、パクさん。珍しいわね。道で会うなんて」

「そんなことないよ。何回か見かけたよ。本屋でも、図書館でも見かけたけど」

「そうなの。声かけてくれればいいのに」

「なんとなくね、いつも何か一心に考えているみたいな感じに見えるから声かけにくいよ」

「そう。おかしいわね。何か考えている事なんて、ほとんどないのだけれど」

「考えていると言うか、何か声をかけにくい雰囲気なんだ」

パクさんはそう言ったが、パクさんも面倒なのだった。それが久恵であってもなるべくならやり過ごしたい。久恵の観察するところではパクさんも人との交流が面倒なのだった。

「そう。誰かと話しているのかな。頭の中で。読んでいる本の中にいる事も多いかも。この遊歩道、信号無いし、何も気にしないで歩けるからいいのよ。端から端まで歩くと、二時間はかかる。時々ね、天気の良いとき端から端まで往復したりする。途中の喫茶店で、一休みしたりしながら」

「ふーん。運動のためかな」

「歩きながら夢が見られる。あたりの風景とね、夢が不思議にミックスして面白い。パクさんも歩かない」

風に、桜の花びらが舞っている。

ふと足元を見ると、

(あれ、私の影、何だか色が薄い。パクさんのより薄い。着ている物のせいかしら。気のせいなの？　影に男女差なんてあるわけない。光のあたり具合のせいかしら。単に目が悪いだけかもしれない。あらー、影の観察もしなくては)

(ふわふわと心をあちらに飛ばせている人の影は薄かったりして。新しいテーマ。そうだ

カメラを持ち歩いて影の写真を撮ろう）
（影にも肖像権があるのかな。影だけ写真に撮っても仕方ない。実像と一緒でないとね。動植物や物でもよい。けど、気象条件があるから薄さの比較は難しいだろうな。影の絵を描いた高名な画家がいたけど、あれは何を表現しようとしていたのか。存在の希薄さ？調べよう）

久恵は新しいテーマの発見に嬉しく、自然に笑みが浮かぶ。風に舞う花びらが遊歩道をまだらに染めてゆく。

「嬉しそうだね」

パクさんは怪訝そうに言った。

先日の大ニュースをパクさんに話したい気もしたがこらえた。秘密は身の安全のために知る人は少ないほどいい。夜は今、久恵はスパイ活劇の主人公で忙しい。それにパクさんもまだ観察中。

「ねえ、この間考えたのだけど、私たちもやらない。まねっこだけど。いいじゃない。ピースウオーク。一都二府一道四十三県。何年かかっても良いじゃない。時にはバスや、鉄道使ってもいい。老人だからね。幸せって何、平和なのかしら、今？　とか話しながら。世の中に少し風を送り込む。お茶のみ友達作りながら。言ってみれば、今風お遍路さん。この遊歩道から出発。なんてどう」

パクさんは笑っていた。そして私のよりすこし濃い影をヒョッコリ、ヒョッコリ引っ張って歩いている。その影は躍っているように見えた。久恵は自分の影はどんなかなと、ちょっと後ろ向きに歩いてみる。

「そのニューメキシコの小父さん、なんて言う人だっけ」

「マイケル」

「マイケルも招待して。この出発点の桜の遊歩道でちょっとしたイベントをやってね。マスコミ巻きこんで。命、懸けているみたいで人気が出ると思うわ。政党が出来てしまうかもしれない。老人党なんて月並みね。そう、この花びらみたいな、散る花党なんてどう。私たち時の人になる」

「私たち？」

「そうよ。パクさんと私」

パクさんは笑った。

（この企てが失敗し、あの頃皆がしていた挫折と言う物を味わうのだろうか。どんな味だろう。違うな、何をやったのか、何が失敗したのかもわからなくなって、にこにこしているほうが似合うかな。老人だもの。それとも結構真面目にやり遂げようとして、途中力尽きて命を全うするのがこの企てにふさわしいかも知れない。意味の有る一生を終えられる。

意味があるかな。一人また一人と、ピースウオークのシャツを着た老人が命を全うし、道端のあちこちに建てられる、ピースウオーク塚。石の塚よりそれぞれに好きだった木が良いかな。それを建てる基金を先に作らなくてはならない。マスコミに宣伝しよう。老人歩け歩け運動ともタイアップしなくては。元気な老人を持て余している全国の家族たちが挙って老人をピースウオークに送り出すだろう）

久恵の頭の中は忙しく混線状態。

「ねえ、パクさん。あれ、何時の間にいなくなったの。たまにはお花見ランチでもしようかと思っていたのに、気が利かないのね」

そうか、さっきパクさんは、

「じゃ」

と、云って遊歩道を外れて行ったっけ。久恵はあちらの世界で遊んでいたのでいいかげんな返事をしたのだった。

成功したざわめきの中で久恵はしきりにあたりを見まわしてパクさんを探すが見当たらない。老いた人たち皆主役。イベントの終わりの華やぎの中で、誰にともなく互いに手を振りあっていた。

桜が舞台の終幕のように豪勢に舞っている。花ビラは薄雪のように白く、空中に作る青白いその影。心もとなく淡い。久恵は昼にも歩きながら夢を見る。

朧月夜だったけれど、思い立ってパクさんを訪ねたが、留守のようなので、久恵は木の上を一人占め。持参のビールで心地良くなり童謡を歌っていると、パクさんがぬうーっと云う感じに顔を突き出した。

「大丈夫？」

「びっくりした。お散歩ですか」

「春風に誘われて夜の散歩。ちょっと一杯やってきた」

パクさんは少し酒臭い体を横にした。一杯どころかかなり飲んだらしく、すぐにいびきをかいて寝てしまった。久恵はそのリズムのあるいびきを楽しんだ。ちょっと突くとそのリズムが微妙に変わる。男のいびきを聞くのも久しぶりだ。一通りのいびきを聞いたところで、久恵はパクさんを起こし解散した。いびきと朧月夜は似合わない。

夜の遊歩道に桜の花びらが街頭に影のように、雨のように、淡く静かに降っていた。ふと、一人で生きるってこんな感じ、色あせて、雨の夜にひっそりと散る。

「なかなか良いではないか」

久恵は呟いてみた。

歩きながら輪郭がなんだか曖昧になってゆく自分をぎゅっと抱いて確かめてみる。

この頃ベッドから抜け出すのがもったいないほど沢山の夢を見る。このまま夢を見続けていたいと一度目覚めても、そのまま、また夢の続きに入っていったりしている。

(夢を見る力が高まってきたということなのか。それとも、これって、あちらへ行くための脳の準備なのかしら。ずうっと寝たままでいたいなんてね。まだあちらへ行くのは早い)

久恵はぶつぶつ呟きながら歩いていた。


遊歩道の長い陸橋に夏が来た。逃げ水がゆらゆらと手招いている。周辺までが揺れて輝いている。久恵は立ち止まり、両手をあげ、クロールにしようか平泳ぎにしようかと、視線をきらきら揺れる逃げ水のなかに定めた。飛び込みそうになって、

(おっと危ない、この続きは今夜、夢の中のお楽しみ)

なだめながら、あやしながら、少しずつ世間からずれ、壊れながら、こぼれながら過ぎてゆく。全てが夢の中の事のようで不確かで、自由だ。

福井　みゆき（ふくい　みゆき）

1964年　早稲田大学卒業。講談社勤務
山本作兵衛氏（炭坑の内、外、筑豊に生きた炭坑夫たちの明治、大正、昭和にわたる生活を描いて残した仕事が2005年ユネスコの世界記憶遺産に登録された）の画文集『炭坑に生きる』を1967年企画、編集。出版社時代の想い出深い仕事のひとつ

1968年　画家と結婚。渡米。SOHOと名がつく前のニューヨーク、アーティストの街SOHOのロフトに住む。ニューヨーク日米新聞などに勤務

1981年　帰国。アートワールドにて働く

1984年　小説集『影ふみ』新風舎刊

1999年　父、町田草丘（町田高雄）の作品集『楽しみをつれてくるよな春の雲』企画編集。講談社出版サービスセンター刊

2003年　ノンフィクション ― 生きることをアートする街ニューヨーク ―『ロフティライフ』文芸社刊

現　在　つくば市在住

ジプシーモス

2021年 4 月20日　初版第 1 刷発行

著　　者　福井みゆき
発 行 者　中 田 典 昭
発 行 所　東京図書出版
発行発売　株式会社 リフレ出版
〒113-0021　東京都文京区本駒込 3-10-4
電話 (03) 3823-9171　FAX 0120-41-8080
印　　刷　株式会社 ブレイン

ISBN978-4-86641-379-2 C0093
Printed in Japan 2021